BIBLIOTHEEK BREDA

Centrale Bibliotheek
Molenstraat 6
4811 GS Breda

D0590564

Spiritualiteit werkt
in de slaapkamer

BIBLIOTHEE<·BREDA

Centrale Bibliotheek
Molenstraat 6
4811 GS Breda

Marjan Groefsema

Spiritualiteit werkt
in de slaapkamer

praktische tips
om je liefdesleven te verdiepen

Uitgeverij
Ten Have

Spiritualiteit
werkt...

© 2009 Uitgeverij Ten Have
Postbus 5018, 8260 GA Kampen
www.uitgeverijtenhave.nl

Omslagontwerp en vormgeving: Westbroek en Ter Haar

ISBN 978 90 259 5909 8
NUR 728

Alle rechten voorbehouden. Niets uit deze uitgave mag worden verveelvoudigd, opgeslagen in een geautomatiseerd gegevensbestand of openbaar gemaakt, in enige vorm of op enige wijze, hetzij elektronisch, mechanisch, door fotokopieën, opnamen, of op enige andere manier, zonder voorafgaande schriftelijke toestemming van de uitgever.

Inhoud

1 Seksualiteit beamen 8

2 Van het leven houden 20

3 Liefdevol zijn 32

4 Aanwezig zijn 42

5 Zijn wie je bent 56

6 Ontmoeting 70

7 Overgave 88

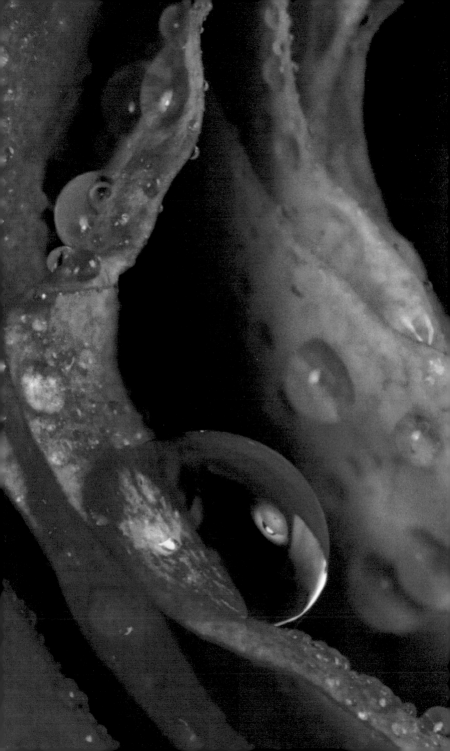

Seksualiteit beamen

Op de dag des oordeels zal de mens
ook rekenschap moeten afleggen
van alle goede dingen
waarvan hij had kunnen genieten
en dat niet deed.

Jeruzalemse Talmoed

Seksualiteit is zo oud als de mensheid. En al door de eeuwen heen is het een explosief levensgebied. Alle culturen en subculturen in de wereld hebben hun eigen opvattingen over de invulling van seksualiteit. Vaak zijn daarnaast de officiële opvattingen en de praktijk van mensen helemaal niet gelijk. Religies en spirituele stromingen hadden en hebben ook allemaal zo hun eigen opvattingen over wat gezond is op dit gebied.

Ook in deze tijd worden hierover op allerlei plekken weer vragen gesteld. De opvattingen en verschijnselen op het gebied van seksualiteit zijn voortdurend aan verandering onderhevig, net als de vormen van spiritualiteit.

Dit boekje gaat over hoe hedendaagse spiritualiteit ons kan helpen met seksualiteit. Welke spirituele lessen kun je toepassen binnen het vormgeven van je seksualiteit en hoe kun je daarmee meer vervulling beleven?

Vervulling

Je seksuele liefdesleven als vervullend te ervaren, liefst voor alle jaren dat je in liefde bij elkaar bent, is iets waar veel mensen naar verlangen. Om het te beleven zoals een vrouw als volgt verwoordt:

'Op een of andere manier voel ik me meestal helemaal thuis, met mijn geliefde in bed. Heerlijk vind ik het als je al je kleren uitgetrokken hebt en volkomen met elkaar in verbinding komt. Alleen nog maar ervaren. En tintelend elkaar beleven.'

Een man verwoordt hoe het vrijen met zijn vrouw verbindend werkt in de relatie:

'Als we een tijd niet met elkaar gevreeën hebben, komen we langzamerhand verder van elkaar af te staan. Als we dan die lichamelijke verbondenheid weer voelen, dan doet ons dat heel erg goed. Mijn hele dagelijks leven krijgt er meer glans door. En ook op momenten dat we dan niet meer samen zijn, voel ik me sterker met haar verbonden.'

En een vrouw vertelt over een recente concrete ervaring die ze heel fijn heeft gevonden:

'Ik voel me 's avonds heel vrolijk. Omdat alles, na het etentje met onze volwassen kinderen, op dat moment perfect is. We belanden in een zalige vrijpartij en ik ben ook lekker los. Uiteindelijk zijn we allebei te moe om klaar te komen en we vallen in slaap, terwijl we heerlijk lepeltje aan lepeltje liggen. Mijn partner heeft zijn penis nog in me. Ik voel me volmaakt gelukkig. Alles is goed. We vallen heerlijk in slaap. De volgende ochtend liggen we weer los. Maar we pakken we de draad weer op als hij mijn billen begint te strelen.'

In het Hooglied (7, 11-13), van enkele eeuwen voor Christus, werd prachtig over de liefde geschreven:

Ik ben van mijn lief,
en hij verlangt naar mij.
Kom, mijn lief,
laten we het veld in gaan,
en tussen de hennabloemen slapen.
Laten we de wijngaard in gaan, morgenvroeg,
en kijken of de wijnstok al is uitgebot,
zijn bloesems al ontloken zijn,
de granaatappel al bloeit.
Daar zal ik jou beminnen.

Kerken en religies

Kerken en religies staan niet altijd zo positief tegenover seksualiteit als in bovenstaande bijbeltekst. Wat bijvoorbeeld te denken van de denkbeelden die een vrouw vanuit haar gereformeerde geloof meekreeg in haar jeugd:

'Er was een sfeer waarin het lichaam niet bestond. Het lichaam werd alleen gezien als iets dat je met je meedroeg. Je moest er niet te veel aandacht aan schenken. Het was een voertuig dat je uiteindelijk kon brengen naar het hiernamaals, dat waar het in het leven echt om ging. Veel aandacht besteden aan je lichaam, laat staan ervan genieten, kwam in ons wereldbeeld niet voor.'

Welke invloed gaat ervan uit dat in de Rooms-Katholieke Kerk geestelijken zich aan het celibaat moeten houden? Wat betekent dat voor het denken van katholieken over seks? Het wekt al snel de gedachte dat als je je met het hoogste en meest wezenlijke van het leven bezighoudt, je niet bezoedeld mag worden door seksualiteit. Het celibaat onder geestelijken komt overigens niet alleen voor in de Rooms-Katholieke Kerk, maar ook in andere geestelijke stromingen, zoals het boeddhisme.

Vanuit de kerk was er tot voor kort de huwelijksplicht van vrouwen; seks als iets waar je partner recht op heeft, zoals het hem behaagt. Recent is er de voortdurende discussie in orthodox-christelijke gemeenschappen over de vraag of homoseksualiteit in praktijk gebracht mag worden en in de ogen van God aanvaardbaar is.

Feit is dat men seksualiteit en spiritualiteit traditioneel gezien vaak moeilijk met elkaar te combineren vindt.

De donkere kant van seks

Onbegrijpelijk is dat niet, want seks kan een bijzonder gevaarlijk goedje zijn. We kennen allemaal de donkere gedaanten die seks kan aannemen; er zitten nogal wat verschijnselen bij die zich in het verborgene afspelen.

Wat komt seksueel misbruik toch enorm vaak voor: van kinderen, jongens en meisjes. Van vrouwen en ook van mannen, bijvoorbeeld in de gevangenis. Wat was het vroeger gewoon dat een huisbaas of een werkgever gebruik maakte van de seksuele diensten van vrouwen of jongens in zijn invloedssfeer. Hoe vanzelfsprekend was het tot voor kort in een oorlog dat soldaten na het veroveren van nieuw land ook recht hadden op het veroveren van de lichamen van de vrouwen die daar woonden. En hoe blijken ook geestelijken in de kerken zich veelvuldig aan gemeenteleden te vergrijpen, komt er veel misbruik van goeroes en spirituele meesters aan het licht en blijken ook professionals zoals hulpverleners en sporttrainers regelmatig over de schreef te gaan. En pornogebruik, dat in deze tijd met internet giganti-sche vormen aanneemt, is een verschijnsel dat naast enig plezier veel ongeluk in de hand werkt. Zowel gebruikers als betrokkenen hebben er vaak van te lijden en regelmatig pornogebruik vermindert soms het vermogen om seksualiteit in contact te beleven.

Het is blijkbaar niet eenvoudig om de enorme levensdrift die in ieder mens schuilt op een liefdevolle manier vorm te geven, die het daglicht helemaal verdragen kan.

Stimulans

Religies hebben van oudsher op het gebied van seksualiteit niet alleen beperkingen opgelegd, maar zij hebben ook geprobeerd mensen iets mee te geven. Zo zijn er binnen sommige religies, mits aan een duidelijk kader gebonden, ook aanmoedigingen te vinden om de seksualiteit tussen partners tot bloei te laten komen.

Binnen het jodendom bijvoorbeeld, schrijft rabbi Schmuley Boteach, is het de bedoeling seks als ultiem middel tot verbin-ding tussen man en vrouw te optimaliseren, zodat het een stel lukt om hun leven lang bij elkaar te blijven en vreugde en verdriet met elkaar te delen. In *The jewish guide to adultery* laat hij zien dat er binnen het joodse geloof vroeger een gebruik bestond dat op het eerste gezicht bedoeld lijkt om de seksuali-teit tussen partners in te dammen, maar dat juist bedoeld was om de diepgang van de seksuele ervaring tussen partners te bevorderen: de periode van seksuele onthouding die iedere maand plaats moest vinden. Die duurde vanaf de eerste dag van de menstruatie van de vrouw tot bijna twee weken daarna. Met een *mikveh* (een ritueel bad voor de vrouw) werd vervolgens iedere maand de periode ingeluid dat het paar wel weer met elkaar mocht vrijen. Boteach raadt het instellen van zo'n maan-delijkse onthoudingstermijn ook aan voor hedendaagse stellen. Het helpt om het onderlinge vuur opnieuw aan te wakkeren, want als de onthoudingstermijn afgelopen is (en de partners tussentijds ook geen andere seksuele uitlaatkleppen gezocht hebben!) is het verlangen naar elkaar sterk gegroeid. Het is heel bijzonder om dan weer als nieuw seksueel contact met elkaar te hebben.

Ook de islam staat positief tegenover seks binnen het huwelijk. De band tussen man en vrouw, hun seksualiteit, de slaapkamer en hun bed zijn heilig. Beiden hebben het recht om van seks te genieten en de man dient ervoor te zorgen dat hij zijn vrouw behaagt.

Ook in veel christelijke kerken in Nederland bestaat nu trouwens veel meer openheid over seksualiteit dan een aantal jaren geleden.

Spiritualiteit

Voor veel mensen heeft spiritualiteit de laatste jaren een nieuwe betekenis gekregen. Zij zoeken naar een nieuwe invulling en vaak gebeurt dat buiten het kader van de traditionele kerken. Tegelijkertijd heeft er de laatste vijftig jaar in het denken over seksualiteit in de westerse wereld een ware revolutie plaatsgevonden, wat maakt dat er ook veel nieuwe inzichten beschikbaar zijn gekomen op het snijvlak van spiritualiteit en seksualiteit. Nieuwe vormen van spiritualiteit gaan er meestal van uit dat seksualiteit onlosmakelijk bij het leven hoort en helemaal omarmd mag worden. In je vrije, natuurlijke staat ben je probleemloos seksueel en spiritueel. Dat wil zeggen: als je er zelf niets 'tussen zet' – geen psychologische verdediging, geen kramp, geen ego. Omdat de mens een spiritueel wezen is, en ook een seksueel wezen. Dat betekent niet dat je daarbij al je wensen en verlangens in alle situaties maar moet uitleven. Zoals Hans Knibbe het verwoordt in *Zijn en worden*:

> 'Werkelijke spiritualiteit is seksueel openend. Je wordt er "sexy, stralend en sappig" van. De vrije staat is ook een seksueel vrije staat. Dat houdt niet in dat je seksueel ontremd bent, maar dat je

wezenlijk op je gemak bent met seksuele impulsen, lichamelijk-
heid en erotiek, en dat je de open staat ook als een lustvolle staat
herkent.'

Anders gezegd: Als je met een spirituele levenshouding leert je
ego niet te laten verhullen wie je in wezen bent, maar verkeert in
de vrije en open staat, merk je dat je een vrij en stromend
seksueel mens bent.
Een spirituele levenshouding kan helpen om te ervaren wie je
dus in wezen bent en hoe het leven in wezen is. Zo'n houding
kan je daarmee helpen om je seksualiteit te verdiepen. Voor mij
houdt zo'n levenshouding het volgende in: je houdt van het
leven, durft de realiteit te zien en bent dankbaar voor wat je
toevalt. Je leeft liefdevol, van binnenuit en bent aanwezig in dit
moment. Je wordt wie je bent en via je vragen en je verlangens
vind je steeds opnieuw je richting. Je staat open voor ontmoeting
met anderen in vrijheid. Durft hulp te vragen en het soms niet te
weten. En je beseft dat je onderdeel bent van het grote geheel,
dat afgescheiden zijn een illusie is. Je weet dat het leven te
vertrouwen is en staat open voor het wonder.
Het lukt niemand om zo'n spirituele levenshouding op ieder
moment te belichamen. Een leven lang kun je je erin oefenen en
seksualiteit met je geliefde is bij uitstek een oefenterrein op het
scherpst van de snede.
Deze spirituele houding biedt je inspiratie en nieuwe ingangen
als je ernaar zoekt hoe seksualiteit in volle bewustzijn geleefd
kan worden. Hoe seksualiteit de liefdevolle verbinding tussen
mensen en wat wezenlijk is in het leven ten dienste kan staan. En
daar komt heel wat bij kijken.

Seksualiteit aanvaarden

Stap één daarbij is of je openstaat voor het feit dat seksualiteit
bestaat. Of je kunt aanvaarden dat seksualiteit bij het leven
hoort en een verbindende kracht tussen geliefden kan zijn.

Ondanks het feit dat seks zo vaak misbruikt wordt en ondanks het feit dat je zelf waarschijnlijk ook pijnlijke ervaringen opgedaan hebt op het gebied van liefde en seks.

Dit is een heel basaal startpunt wanneer je je liefdesleven wilt verdiepen: wil je werkelijk zien dat seks ook in jou leeft en dat je een seksueel wezen bent? Of je nu enorme verlangens bij jezelf tegenkomt of juist heel weinig. En kun je aanvaarden dat seks ook in je partner leeft?

Het is een mooi vertrekpunt als die levensenergie er van jezelf mag zijn. Als je vrienden kunt zijn met je verlangens. Zonder in eerste instantie al te willen weten wat je allemaal met die verlangens moet doen...

Een man:
'Ik ben aardig overdonderd in mijn puberteitsjaren, toen seks zich in alle hevigheid aan me begon op te dringen. Wat ben ik behoeftig en radeloos geweest in die tijd! Ik had geen flauw idee waar ik met al mijn verlangens heen moest. En ik kon mijzelf met geen mogelijkheid meer als een goed mens zien.'

Een vrouw:
'Seks leefde nooit zo voor mij. Ik was vier jaar getrouwd met mijn eerste man, in een relatie waarin we weinig seksueel contact met elkaar hadden. Ik miste dat niet en ik was er stiekem wel trots op dat voor mij andere zaken in het leven veel belangrijker waren: studie, werk, respectvol met andere mensen omgaan. Ik schrok me dan ook dood toen ik daarna een relatie kreeg met een man op wie ik seksueel heel sterk reageerde. Ik kende mezelf niet meer terug en vond het ook wel eng dat ik mezelf nu niet meer zo stevig in de hand had.'

Seksualiteit beamen betekent niet alleen erkennen dat seksualiteit bestaat en ook in jou leeft. Het betekent ook dat je er van jezelf net zo nieuwsgierig naar mag zijn als je soms bent. En het betekent dat je je eigen seksuele impulsen aanvaardt. Seksualiteit is enorm veelvormig en de ene mens is echt de ander niet. De een vindt dit leuk en opwindend, de ander iets totaal verschillends. Het is mooi als je je eigen seksualiteit en die van je partner welkom kunt heten. Als je de seksualiteit in je leven kunt beamen. Als je de seksuele energie die er in je leeft, kunt zien als creatieve en levensbrengende energie.

In je lichaam is je seksuele energie het meest direct gelokaliseerd in je bekken; dat is in je lichaam de plek van levenslust en plezier. Daarmee houdt 'je seksualiteit welkom heten' op fysiek niveau in dat je in contact bent met de energie in je bekken. Dat je je bekken voelt en dat het mag bewegen in het lopen en mag wiegen en draaien in de dans. Dat je in je bekken kunt ervaren dat je op een stoel zit. Zo heb je je bekken 'erbij' in je bewustzijn, bij alles wat je doet, en sta je open voor het leven daar. Contact met je bekken brengt het ervaren van seksuele gevoelens dichterbij. Mooi meegenomen is dat het je ook in bredere zin veel energie, kracht en plezier oplevert. En verder wordt je er, door zo thuis te zijn in je lichaam, aantrekkelijk door.

Als je je seksualiteit beaamt, kun je ook onder ogen gaan zien hóe je zelf seksueel bent. Hoe je partner is. Wat je fijn vindt. Wensen en verlangens verwelkomen. Elkaar deelgenoot maken. En er niet van uitgaan dat alle wensen uitgeleefd hoeven te worden. Dan hoef je de energie die in jou leeft niet te onderdrukken en kun je die ten goede laten komen aan je liefdesrelatie. Samen je intimiteit vormgeven en in contact zijn. Op onderzoek en avontuur gaan. Elkaar respecteren. Je seksualiteit samen vormgeven, in wisselende perioden van je leven. Genieten van wat er te genieten valt. Dat vraagt grote levenskunst, grote liefdeskunst. Het verdiept je liefdesleven en brengt vervulling dichterbij. Terwijl je het leven leeft met alle energie die je daarvoor ter beschikking hebt gekregen.

Tips

Plan een avondje met je partner en vertel elkaar hoe jouw seksuele geschiedenis eruit heeft gezien. Welke boodschappen heb je meege-kregen (van wie?) en wat waren jouw fijne en vervelende/pijnlijke ervaringen? Heb je ook een idee hoe dit alles nu nog doorwerkt in jouw seksualiteit en je beleving van intimiteit?

Kijk eens in hoeverre jij door de dag heen contact met je bekken hebt. Is het er in jouw bewustzijn bij of vergeet je dat het er is? Loop of dans eens met meer beweging in je bekken dan normaal gesproken, terwijl je met je aandacht in je bekken bent. Mag je van jezelf plezier krijgen in die bewegingen?

Ga eens na welke seksuele interesse jij hebt die liever niet aan het licht moet komen. Waar ben je op het gebied van seks nieuwsgierig naar? Kijk eens of je innerlijk 'ja' tegen jezelf kunt zeggen als seksueel wezen, inclusief die seksuele interesse. Zou je het verrijkend vinden dit eens met je partner of een vriend(in) te bespreken?

Stel eens samen met je partner het traditionele joodse gebruik in om per maand twee weken wel en twee weken niet te vrijen. Spreek dit af voor twee of drie maanden en kijk eens wat het jullie brengt.

Boekentips

Floor Bakker en Ine Vanwesenbeeck, *Seksuele gezondheid in Nederland 2006*, Eburon.

Shmuley Boteach, *Kosjer seks*, Servire.

Hans Knibbe, *Zijn en worden*, Servire.

2

Van het leven houden

Kom, kom, wie je ook bent.
Ook al heb je je voornemen duizend maal
niet waargemaakt.
Kom, kom opnieuw en dans.

Roemi

Waarom doe je aan seks met je partner? Seksuologen hebben recent door onderzoek vastgesteld dat mensen daar 237 verschillende redenen voor kunnen hebben. Die redenen zijn bijzonder uiteenlopend. 'Vrijen om je te kunnen ontspannen' komt in allerlei toonaarden nogal vaak voor. Vrijen alleen om je te ontspannen is echter meestal niet verdiepend voor je liefdesleven! Vrijen omdat je van elkaar en van het leven houdt, is voor veel mensen een mooie, onomstreden reden. Seksualiteit om je liefde voor elkaar uit te drukken en ook om uiting te geven aan je liefde voor het leven.

Met een spirituele levenshouding houd je van het leven. Je laat het helemaal toe. Je staat open voor de stroom en bent er onderdeel van. Wat stromend is, wil je niet vastzetten en je verbindt je met alles wat er komt. Je bent bereid alles te zien en niet voor de realiteit op de vlucht te slaan.

Het is mooi als je in het vrijen het leven door je heen kunt voelen komen, een besef hebt dat je leeft en in beweging bent. Het is mooi als je in het vrijen tot uitdrukking kunt brengen hoeveel je van het leven houdt. Dan wordt vrijen een hulde, een eredienst aan het leven. Dat besef helpt je om er zonder terughoudendheid volkomen levend in aanwezig te zijn.

> Een vrouw:
> 'Tijdens het vrijen heb ik af en toe momenten dat ik het meest opga in het leven. Ik word meegevoerd en voel me van top tot teen levend. Die zinderende ervaring is wat ik het allerliefste wil.'

Levenslust

Het is gemakkelijker om zo te kunnen vrijen als er ook andere momenten in je leven zijn dat je voelt dat je leeft. Momenten waarin je het leven door je heen voelt stromen. Wanneer je bruist. Of geraakt wordt. Ontroerd bent. Je warm voelt. Wanneer je je bijvoorbeeld in sport of dansen helemaal geeft, zodat het vanzelf lijkt te gaan.

Als je je bewust wordt van dat soort andere momenten in je leven, waarop je van top tot teen aanwezig bent, helpt dat je ook om ook in het vrijen meer open te staan voor dat soort ervaringen. Wandelen in de storm langs het strand en voelen dat je huid ervan gaat gloeien. Echt luisteren naar prachtige muziek en je laten raken door de subtiele klanken. Of afwassen samen met je kind en spontaan in een hartverwarmend gesprekje terechtkomen.

Een man:
'Bij het tennissen voel ik me vaak heerlijk energiek en van top tot teen levend. Bij mooi weer voel ik de zon op mijn lichaam schijnen en voel ik me vanzelfsprekend stevig op mijn benen en mijn voeten staan. Als mijn medespeler en ik aan elkaar gewaagd zijn, heb ik zin in de confrontatie en ik wil niets liever dan er helemaal ingaan. Ik voel in de verste verte geen aarzelingen. Wij tweeën zijn voortdurend met elkaar in contact en samen spelen we een fascinerend spel met de bal. Soms scoren we snel, andere momenten gaat de bal ijzingwekkend lang voortdurend heen en weer. Ieder doet het zijne en we brengen elkaar tot grote hoogte.'

Op andere gebieden van je leven momenten van verrukking ervaren loont ook voor het vrijen. Openstaan voor dat soort momenten en de kans erop creëren. Zonder die ervaringen op andere gebieden van je leven, is het niet gemakkelijk ze ook op de langere termijn in je seksualiteit te ervaren. En wie weet brengen jouw eigen voorbeelden van waar je op andere vlakken van je leven helemaal tot leven komt ook inspiratie voor wat je in het vrijen wilt beleven.

Levenskunst

Van het leven houden omvat veel meer dan alleen momenten van opperste levenslust. Hoe kijk je tegen het leven en de wereld aan? Een wereld met prachtige gebeurtenissen, maar ook met grote misstanden als oorlog, armoede en milieuvervuiling. Met daarnaast allerlei vervormingen op het gebied van seksualiteit zoals prostitutie, pornografie, kindermisbruik en de seksualisering van de samenleving. Houd je desondanks van het leven? Kun je, zoals Thich Nhat Hahn in een van zijn meditaties voordoet, 'inademen met verwondering en uitademen met een glimlach'? Kunnen zeggen dat je van je eigen leven houdt, vraagt nogal wat van je. Ook dat is behulpzaam voor het beleven van seksualiteit als vervullend.

Ben je tevreden over je relatie(s)? Over je werk en je andere bezigheden, je gezondheid en je woonsituatie? Neem je tijd voor de echt belangrijke dingen? Kun je het accepteren wanneer je daarin sommige dingen niet kunt veranderen? Creëer je ruimte voor rouwen bij situaties van afscheid? Kom je in beweging om verandering na te streven wanneer je dat wenst? Kun je waarderen wat er allemaal wél is?

Zó in het leven staan maakt voor mij onderdeel uit van een spirituele levenshouding. Je ziet onder ogen hoe je leven is en ontvangend wat er op je afkomt, ga je zelf je eigen pad. Als het tijd is om iets te laten dan doe je dat, als het tijd is om te handelen dan doe je dat ook. Dat je van het leven houdt, doet je op pad zijn. In het antwoord dat je geeft op wat zich voordoet, geef je je eigen leven vorm.

Een leven lang kun je blijven leren om je levenskunst verder te ontwikkelen.

Tegenslag

Bij tegenslag, in je jeugd of in je volwassen leven, wordt je vermogen om van het leven te houden op de proef gesteld. Onder invloed van pijnlijke gebeurtenissen ontwikkel je een pijnlichaam, zoals Eckart Tolle dat noemt in zijn boek *De kracht van het nu*. Pijnlijke gebeurtenissen die daartoe leiden, kunnen zo uiteenlopend zijn als het leven zelf.

Er zijn opvallend veel voorbeelden te vinden die rechtstreeks van invloed zijn op je beleving van seksualiteit. Wat te denken van een jeugd waarin je nauwelijks bent aangeraakt? Veel kritiek te verduren kreegen in plaats van bemoedigende complimenten? Een sterfgeval in je vroege jeugd van een naast familielid? Welk effect heeft dat op je vermogen om vertrouwen te hebben in relaties? En wat te denken van een jeugd waarin je mishandeld bent of de mishandeling van je moeder van dichtbij hebt meegemaakt? Een man die dit laatste uit ervaring kent, vertelt over wat er gebeurt in vrijpartijen:

> 'Ik hou van vrijen. Het zit ook goed tussen mijn vriendin en mij. Maar bij het vrijen kan ik mijn ogen niet open doen, want als ik haar in de ogen kijk, komen er onmiddellijk allerlei geweldsituaties in mijn hoofd. Allerlei beelden, allerlei films. Ik kan die film gewoon niet stopzetten. Dus vrij ik maar met mijn ogen dicht, want dan komen de beelden niet. Het doet mijn vriendin veel verdriet dat we elkaar niet kunnen aankijken in ons liefdesspel.'

Ook op het gebied van seksualiteit zelf spelen zich talrijke pijnlijke gebeurtenissen af in het leven. Negendertig procent van de vrouwen en zeven procent van de mannen in Nederland hebben in hun jeugd of later in hun leven seksueel misbruik meegemaakt. Dit heeft uiteraard veel invloed op hun seksualiteit.

Veel mensen openen zich moeilijker in seksualiteit met een nieuwe partner wanneer een pijnlijk beëindigde liefdesrelatie niet goed verwerkt is. Masturbatie in de jeugd dat toen stiekem was en schuldgevoel opleverde, kan iemand nu in het liefdesspel flink in de weg zitten. Ook pijnlijke ontdekkingen als overspel van de partner, prostitutiebezoek of pornogebruik kunnen er enorm inhakken.

Een vrouw die in haar jeugd misbruikt is door haar broer vertelt:

> 'Ik hou van mijn man en ik vind hem aantrekkelijk. En als ik leuke mannen ontmoet, merk ik dat ik boordevol levenslust en seksualiteit zit. Maar in de relatie met mijn man kan ik alleen met hem vrijen wanneer ik zelf het initiatief neem. Wanneer hij mij benadert en met me wil vrijen, dan slaan bij mij de stoppen door. Ik verstijf, en het lukt me dan nooit om in de stemming te komen.'

In dit soort situaties komen mensen voor de vraag te staan of ze kunnen en willen verwerken wat er gebeurd is. Of ze stappen kunnen zetten om het gebeurde achter zich te laten en daarmee opnieuw weer van het leven durven te gaan houden.

Je ervoor inzetten om je liefde voor het leven terug te vinden, al dan niet met therapie, kan je helpen om ook de seksualiteit in je leven meer tot bloei te laten komen. Om je seksualiteit voller en minder eenzijdig te laten zijn of om die überhaupt opnieuw toe te laten in je leven.

Onder ogen zien van de werkelijkheid

Lastig is dat mensen zo verschrikkelijk veel verwachten van seksualiteit. Het is heel gewoon dat het seksueel af en toe in een relatie niet zo soepel loopt, maar dat weten de meeste mensen niet. Ze schamen zich ervoor. De stap om figuurlijk bloot en kwetsbaar met de partner te gaan praten, lijkt soms heel wat bruggen te ver. Soms hebben mensen er geen flauw benul van hoe zij als stel samen uit een impasse kunnen komen. Zij hebben vaak het idee dat het bij andere stellen allemaal prima verloopt. De ideaalbeelden in films, op televisie en in de reclame doen hardnekkig hun werk en wat voelen mensen zich falen, of wat kunnen ze het hun partner verwijten, wanneer ze samen seksueel niet gelukkig zijn.

Van het leven houden betekent wat mij betreft de moed opbrengen die vervulling op het persoonlijke vlak nu eenmaal vraagt. Om open te zijn tegenover je partner. Je mond open te doen, terwijl je het niet weet. Het gesprek op gang brengen. Een man:

'Wat ben ik blij dat ik na maanden van ongemakkelijk zwijgen eindelijk met mijn vriend ben gaan praten. Nadat het de eerste jaren seksueel tussen ons enorm klikte, was er nu een patroon ontstaan dat we seks uit de weg gingen. Dat had ermee te maken dat mijn vriend een paar keer geen erectie had gekregen. We zijn daar allebei erg van geschrokken en we wisten ons er geen raad mee. We konden er moeilijk over praten en kregen zelfs de neiging om elkaar fysiek te ontlopen. Op een avond heb ik het er plotseling allemaal uitgegooid. Ik vertelde hem hoe erg ik hem miste, zowel wat intimiteit betreft als het vrijen. Het was heerlijk om elkaar weer te omhelzen en in de ogen te kijken. Te voelen dat we heel veel voor elkaar betekenen. We zijn door deze ervaring naar andere vormen van vrijen gaan zoeken.'

Wanneer je de werkelijkheid niet mooier maakt dan hij is en je jezelf in je kwetsbaarheid aan je partner durft te laten zien, eer je het leven zoals het is, met al zijn onvolkomenheden en zijn onvoorspelbaarheden. Door je moed de realiteit tussen jou en je partner als uitgangspunt te nemen, komt er weer ruimte voor verandering en ontwikkeling.

De levensstroom en jouw vragen

De werkelijkheid van het leven is dynamisch: er gebeuren steeds nieuwe dingen of je gaat anders tegen de werkelijkheid aankijken. Als je je leven wilt verdiepen en je wilt je ontwikkelen, dan is het aan te raden om een actieve houding aan te nemen. Niet een houding waarbij je de werkelijkheid wilt beheersen en geluk denkt te kunnen afdwingen, maar een spirituele houding waarbij je de onvoorspelbaarheid van de levensstroom eerbiedigt. Dan kan jouw eigen nieuwe antwoord op wat zich voordoet steeds weer fris ontstaan. Zo blijf je in beweging en wordt het leven nooit saai.

Om zo fris in het leven te staan, is het van belang dat je in contact bent met de vragen die er in je leven en die in een nieuwe situatie in je opkomen. Dat geldt ook voor seksualiteit. Als je je eigen vraag over levenssituaties durft te stellen, is dat het begin van creatief leven. In het stellen van je vragen zie je onder ogen dat je het soms niet weet. Dat is heel menselijk. Je accepteert dat er geen pasklare antwoorden zijn. Er kunnen dan nieuwe antwoorden in je naar boven komen die precies passen bij de huidige situatie. Voorbeelden van zo'n vraag zijn: Hoe kan ik er zelf aan bijdragen om onze liefdesrelatie nieuw leven in te blazen? Hoe kan ik meer openstaan voor de liefde en de seks tussen ons? Of: Hoe kunnen we meer tijd vrijmaken om te vrijen? Daarbij is het van belang hóe je je vragen over je leven, en dus ook over je seksualiteit stelt. Pas op voor wat- en waarom-vragen, want dan bestaat de kans dat je eigen inzet en je beste weten om een antwoord te vinden niet aangesproken worden. Hanneke Korteweg schrijft hierover, in het boek *Geest en drift*:

> 'Bij een hoe-vraag ben je bereid jezelf in te zetten. De hoe-vraag is creatief en houdt de toekomst open. Het is ook een praktische vraag. Hij doet een appel op alle mogelijkheden die je in je hebt.'

Vragen stellen creëert de mogelijkheid dat er antwoorden komen. Zet daarom, als je je liefdesleven wilt verdiepen, de stap om je je vragen hierover bewust te worden. Kijk eens welke hoe-vragen er in je leven over de huidige situatie in je liefdesleven. Wanneer je je vragen oprecht stelt, luister dan eens naar de antwoorden die in je oprijzen. Vroeger of later. Als je onvrede over iets ervaart, is dit trouwens ook dé manier om niet in je onvrede te blijven steken, maar te zoeken naar nieuwe wegen. In het stellen van je vragen breng je je vertrouwen in het leven tot uiting.

Dankbaarheid en het leven vieren

Soms is de werkelijkheid gewoon mooi: Maak je een heerlijke wandeling met je partner en ben je blij dat je samen bent. Ben je tevreden dat je een klus geklaard hebt. Heb je genoten van samen in de stad naar kleren zoeken en de stemming waarin jullie dat gedaan hebben. Soms ben je blij dat je partner je in een drukke tijd plotseling tegen zich aandrukt en laat merken dat zij of hij toch weer een poosje dicht bij je wil zijn.
Het leven krijgt meer kleur als je de tijd neemt om je dankbaarheid ook echt te ervaren en af en toe te danken voor je zegeningen in wat je meemaakt. *Counting you blessings*, je zegeningen

tellen, vergroot je levensvreugde, en met meer levensvreugde is
er ook meer opening voor een geïnspireerd seksueel liefdesleven.
Je kunt naar je eigen vormen zoeken om je dankbaarheid voor
het leven tot uiting te brengen. Zelf begin ik de ochtend iedere
dag met een ochtendgebed dat afkomstig is uit het joodse
gebedenboek:

> 'Dankbaar ben ik in je aangezicht, o grote Koning, levend en
> eeuwig. Je hebt me mijn ziel teruggegeven, in genade. Groot is je
> trouw.'

Zo breng ik mezelf iedere dag opnieuw in verbinding met wat
van waarde is.
Ook stilstaan bij je dankbaarheid voor je partner is verdiepend
voor je liefdesleven. Veel liefdesrelaties stranden en als jij wel in
zo' n relatie mag leven is dat helemaal niet vanzelfsprekend. Uit
je je dankbaarheid richting hem of haar wel eens? Iedereen weet
hoe goed het doet je partner een welgemeend compliment te
geven. Te laten weten waar je blij mee bent in hem of haar. Dat
geldt ook voor het terrein van de seksualiteit. Wat is het fijn om
dingen te horen als: Wat was dat vrijen gisteravond heerlijk! Wat
raakt het mij als wij elkaar zo open aankijken. Wat dapper van
jou om mij zo iets geks voor te stellen. Wat fijn dat je op mijn
initiatief inging. Wat zalig dat je me zo lang over mijn buik en
benen bleef aaien, ik had het gevoel dat ik langzamerhand tot
steeds hogere hoogten kwam...

Het is de moeite waard om het leven en de liefde echt te vieren
en om daar tijd voor te nemen. Luister samen naar jullie lieve-
lingsmuziek. Lach je slap om die cabaretier. Dans door de
huiskamer en verras de ander met een onverwacht uitje. Geef
een feest omdat jullie zoveel jaren bij elkaar zijn.
Jullie liefde en het leven vieren is een goede voedingsbodem
voor nieuwe inspiratie in je liefdesleven.

Tips

Welke manieren (buiten seks) hebben je partner en jij om samen van het volle leven te genieten? Wat is het, waarin jullie samen helemaal tot leven komen? Doen jullie dat vaak genoeg? Wat zouden jullie nog aan je repertoire toe kunnen voegen?

Spreek tegenover je partner de komende weken af en toe eens je waardering uit voor iets wat met seksualiteit en intimiteit te maken heeft. Hoe klein ook. Of hoe groot. En geef ook ruimte aan haar of zijn reactie.

Kijk eens naar de realiteit van je seksuele liefdesleven. Van nu en van eerdere periodes. Wat vind je daarin fijn? Wat bevalt je niet zo goed? Draag je ervaringen met je mee die erom vragen om verwerkt te worden, zodat je levenslust en seksualiteit wellicht meer tot bloei kunnen komen?

Welke vragen leven er op dit moment in jou over je seksualiteit? Welke vragen die met jezelf te maken hebben en welke vragen over jullie samen? Is het mogelijk om die vragen in een hoe-vorm te formuleren? Ben je daarmee bereid om je eigen inzet in het vinden van een antwoord aan te spreken?

Boekentips

Pema Chödron, *De vreugde van de overgave*, Altamira.

Ton Kamphof, *Thich Nhat Hanh*, Ankh-Hermes.

Paula van Lammeren en Rianne van Rijsewijk, *Geïnspireerd leven en werken*, Managementboek.

3

Liefdevol zijn

Je bent zo mooi anders dan ik.
Natuurlijk niet meer of niet minder maar
zo mooi anders.
Ik zou je nooit anders dan anders willen.

Hans Andreus

Spiritueel met seksualiteit omgaan, betekent dat je in je seksualiteit liefdevol bent – en dat omvat nogal wat, op allerlei niveaus. In iedere seksuele ontmoeting speelt dat opnieuw. Vanuit een spirituele levenshouding ga je liefdevol met elkaar om en handel je niet vanuit een belangenoriëntatie. Het betekent de ander echt kunnen zien. Haar/zijn wezen en haar/zijn gedrag. Waarin zij of hij feilbaar is. Kijken met je hart open. Vergeven en de liefde terugvinden. Behalve liefdevol omgaan met de ander betekent dat liefdevol zijn voor jezelf. En als het nodig is de confrontatie aangaan.

Je lichaam

Het lichaam speelt in seksualiteit een grote rol. Zowel je eigen lichaam als het lichaam van de ander. Er komt heel wat bij kijken om liefdevol tegenover je eigen lichaam en dat van de ander te staan. Hoe is je houding ten opzichte van je lichaam? Maatschappelijk gezien bestaan er allerlei ideaalbeelden over hoe een man of een vrouw eruit moeten zien. Het is daarom niet eenvoudig tevreden te zijn met hoe je eruitziet. Mensen vinden zichzelf vaak te dik of te dun. Ze zijn bang dat ze een te kleine penis, te korte benen of te platte billen hebben. Dat hun borsten niet groot genoeg zijn of te veel hangen. Het feit dat tegenwoordig de meeste foto's in bladen en magazines gefotoshopt worden, helpt er ook niet aan mee om reële lichamen te waarderen en er liefdevol naar te kijken. En dit gaat eens temeer spelen wanneer mensen ouder worden en de eerste rimpels komen en blijven. Je houding ten opzichte van je lichaam heeft niet alleen te maken met hoe het eruitziet, ook hoe het ruikt is van groot belang. Lichaamsgeuren zijn in eerste instantie bedoeld om anderen aan te trekken, maar door de wijdverbreide gewoonte lichaamsgeuren te verbergen met deodorant en parfums zijn mensen deze nauwelijks nog gewend. Liefdevol tegenover je eigen lichaamsgeur staan wordt hiermee moeilijk.
Ook over hoe je lichaam functioneert, bestaan allerlei verwach-

tingen. Als het in iemands eigen ogen lang duurt voordat zij opgewonden wordt of als iemand zichzelf verwijt dat hij te snel klaarkomt, dan is het een opgave liefdevol tegenover het eigen lichaam te staan.

Het gaat er dan om te leren om mild te zijn, de werkelijkheid te zien en te nemen zoals hij is, je niet door je kritiek op sleeptouw te laten nemen. Blij te zijn met wat er wel is. Deze aspecten van levenskunst komen allemaal terug in je houding tegenover je eigen lichaam. Zoals een vrouw het verwoordt:

> 'Het is fijn om mijn hart te voelen kloppen en te merken hoe mijn adem vanzelf stroomt. Als ik met aandacht mijn hand in mijn hals leg en mijn vingers zacht beweeg, voel ik hoe energiestroompjes door mijn lichaam gaan. Met mijn voeten in een warm teiltje water geniet ik van de warmte die dan door mijn hele lijf heentrekt. En als ik aan mijn buik denk, ontroert het me dat onze dochter daar in heeft mogen groeien.'

Liefdevol naar jezelf kijken

Ook in bredere zin is het een kunst naar jezelf te kijken met een liefdevolle blik. Mag je van jezelf je eigen schoonheid en kwaliteiten zien? En waar je jezelf teleurstelt, je eigen zwakke kanten, kun je daarnaar kijken en dan jezelf met mededogen zien?

Veel mensen hebben een beeld van zichzelf, van hoe ze vinden dat ze eigenlijk zouden moeten zijn. Meestal voldoen ze daar niet aan. Kun je daarmee leven zonder jezelf verwijten te maken? Dat geldt in het bijzonder voor beelden over hoe een man of vrouw seksueel goed functioneert.

Accepteer je van jezelf dat je niet perfect bent? In liefde naar jezelf kijken, met ruimte voor het leren en de onvolmaaktheid op het gebied van seksualiteit, maakt dat er meer ruimte voor geluk en vervulling in je komt.

In liefde naar de ander kijken

Ook van de ander heb je allerlei verwachtingen en vaak voldoet hij of zij daar niet aan. Soms bestaan je verwachtingen uit ideaalbeelden die nu geen werkelijkheid (meer) blijken te zijn: Hij wordt dikker dan hij was. Zij krijgt rimpels. Hij kleedt zich niet zoals jij zou willen. Zij is niet altijd de accepterende luisteraar zoals jij haar het liefste ziet.

Kun jij ook jouw liefde voor hem terugvinden voorbij jouw eigen belangen? Het is een kunst om te accepteren dat de ander echt anders is dan jij bent en soms heel andere verlangens heeft. Hij wil bijvoorbeeld niet zo vaak vrijen als jij graag zou willen of heeft een voorkeur voor een standje waar jij minder van houdt. Zij wil altijd op een andere manier beginnen met vrijen dan jij en heeft in jouw ogen veel tijd nodig. Klassiek is ook het voorbeeld dat de ene partner eerst wil praten voordat het stel gaat vrijen en de andere partner veel meer voor praten openstaat nadat ze eerst gevreeën hebben.

In dat soort gevallen is het van belang dat er zowel ruimte is voor de ander als voor jezelf. Dat jouw kritisch oordeel of jouw begeerte niet de overhand krijgt, maar dat je de ander wilt zien zoals hij werkelijk is. Hem of haar wilt leren kennen. Dat je bij verschillen bereid bent opnieuw in contact te komen met de liefde en je laat raken door wie de ander in wezen is.

Je inzetten voor seksualiteit

Wie de ander in wezen is, kun je meestal goed ervaren in de begintijd van een relatie. De meeste mensen vrijen in geen enkele periode van een relatie meer dan in die begintijd. Later is het in een toegewijde relatie meestal veel moeilijker om seksualiteit ten volle te beleven. Het is niet eenvoudig elkaar steeds opnieuw in seks te vinden. In ieder geval blijft niet alles zomaar spontaan gebeuren, wat veel mensen eigenlijk wel verwacht hadden. Ze blijven dat ook vaak hopen.

Maar partners hebben niet altijd op hetzelfde moment zin in

vrijen. Ze voelen elkaar in het vrijen niet automatisch aan, ze verlangen lang niet altijd naar hetzelfde en soms lijken ze nergens meer naar te verlangen. Tegelijkertijd blijkt het moeilijk om hier met elkaar over te praten. Vaak ontstaan schaamte, teleurstelling, verwijdering of gaan partners elkaar openlijk of stiekem verwijten maken. Je loopt dan risico in een negatieve spiraal te raken.

In zo'n situatie, met alle onzekerheid van dien, vind ik het een daad van liefde om er voor uit te komen dat je seksualiteit belangrijk vindt. Dat je graag dingen wilt veranderen, al weet je niet hoe. Want bij gesprekken op dit vlak is de kans groot dat je jezelf én de ander in al zijn weerstand tegenkomt.

Er is dus moed voor nodig om hier tegenover je partner eerlijk in te zijn. De relatie kan het goed gebruiken als minstens een van de twee zich niet door angst laat tegenhouden, om te voorkomen dat seksualiteit langzamerhand eerder een obstakel begint te lijken dan dat het partners samenbrengt. Dan kom je op een andere manier naakt tegenover elkaar te staan. Een samen zoeken kan dan gaan groeien. In een nieuwe kwetsbaarheid die nog niet aan de orde was toen het vrijen nog probleemloos soepel verliep.

Jouw aandeel en het vergeven van de ander

Teleurstellingen binnen een relatie zijn er talrijk, en teleurstellingen op het gebied van seksualiteit hakken er vaak extra in. Soms val je jezelf tegen. Vaak valt je partner je tegen. Of valt je tegen wat jullie er samen seksueel van bakken.

Het siert je wanneer je bij spanningen en onenigheden de hand in eigen boezem durft te steken. Wanneer je bereid bent om eerder bij jezelf te zoeken naar waar je je niet inzet, waar je dingen achterhoudt of domweg fouten maakt, dan dat je vooral de ander de schuld gaat geven. John Welwood heeft daar een prachtig boek aan gewijd: *In liefde ontwaken, de liefdesrelatie als spirituele weg*. Hierin stelt hij dat je bij onenigheid eigenlijk alleen maar naar je eigen aandeel in de moeilijkheden moet kijken. Het bevordert de liefde wanneer je alleen maar ronduit verantwoordelijkheid neemt voor de manier waarop jijzelf aan onenigheid hebt bijgedragen en het maakt de kans veel groter een nieuwe creatieve opening te vinden. Vaak is de ander daarna bereid om ook zijn aandeel in het probleem toe te geven.

> Een vrouw:
> 'Ik vond de laatste paar jaar ons seksleven saaier worden. En ik had de neiging mijn vriend daarvan de schuld te geven toen ik me realiseerde dat hij lang niet meer zo feestelijk het initiatief nam tot vrijen als hij de eerste jaren van onze relatie deed. Maar toen ik wat langer nadacht, werd me duidelijk dat ik mezelf eigenlijk ook weinig inzette. Romantisch samen een wijntje drinken, waar we allebei van houden en wat vaak tot vrijen leidt, liet ik bijvoorbeeld steeds vaker schieten. Ik heb mijn vriend verteld dat ik mezelf niet meer zo lui wil opstellen en van de weeromstuit zei hij dat hij met zijn eigen opstelling ook niet zo blij was. Hij liet weten dat hij zelf ook weer verrassender uit de hoek wil komen.'

Omdat seks zo'n sterke kracht is en mensen er zo veel van verwachten, is dit bij uitstek een terrein waarop conflicten kunnen ontstaan. De meest uiteenlopende zaken kunnen gevoelig liggen. Zoals het seksueel contact dat je partner voor jouw tijd met anderen heeft gehad. Of dat je partner uit zichzelf geen moeite doet om jou klaar te laten komen of geen zin heeft om een nieuw standje uit te proberen. Het gebrek aan tederheid dat je ervaart, het langzame tempo waarin je partner in jouw ogen wil vrijen.

Ook normen over wat wel en niet kan in jullie relatie kunnen aanleiding tot conflicten geven. Mag je op een feestje flirten of dansen met een ander? Hoe denkt jouw partner daarover? Vinden jullie dat zelfbevrediging in jullie relatie kan of niet? Hoe zit dat met porno? Leven jullie trouwens monogaam samen of is dat niet zo duidelijk? En wat is dat dan, monogaam zijn? Wanneer ga je in jullie ogen over de schreef?

Feit is dat ook wanneer de spelregels van de relatie duidelijk zijn, partners die af en toe doorbreken. Dan komen mensen voor fundamentele keuzes te staan.

Stel dat een partner in een monogame relatie er bijvoorbeeld een relatie of seksuele contacten naast heeft. Dat is vrijwel altijd een bron van spanning, openlijk of onderhuids. Het is aan de partners of ze dan met de relatie door willen, maar in alle gevallen heeft het gevolgen voor de onderlinge liefde en seksualiteit.

Mensen zijn feilbare wezens die elkaar teleurstellen in een relatie, door kleine en grote 'vergrijpen'. En seksueel contact met een derde wordt door de meeste mensen als een groot vergrijp gezien.

Maureen Luijens en Alfons Vansteenwegen zijn relatietherapeuten in België. Zij hebben hun boek *Ondanks de liefde. Hoe overleef je een liefdesaffaire* helemaal gewijd aan het probleem van overspel. Overspel veroorzaakt enorme deuken in het vertrouwen tussen partners. De belangrijkste vraag is of partners elkaar dit kunnen vergeven, want als dat niet gebeurt, is het niet mogelijk om gezamenlijk weer ten volle liefdevol verder te leven. Jezelf en je partner vergeven is ook bij kleinere misstappen levenskunst. Bij het sluiten van mijn eigen huwelijk stelde de vrouw die het inwijdde ons daar een vraag over. Ze vroeg of wij bereid waren elkaar steeds te vergeven, aan het eind van elke dag in ons gezamenlijke leven. Voor mijn man en mij is dit dagelijks een leidraad geworden.

Liefdevol zijn rond seksualiteit betekent ook dat je je ogen niet sluit voor zaken die je onderling moeilijk vindt. Je blijft in gesprek daarover en zoekt naar leefregels die bij beiden passen. Je vergeeft je partner fouten die niet onoverkomelijk zijn wanneer er voldoende uitgepraat is, zodat je weer schoon verder kunt en de liefde niet stagneert door wrok, maar weer gaat stromen. Dan kun je met open ogen seksueel weer naar elkaar verlangen. Met vertrouwen dat je steeds opnieuw samen creëert.

Tips

Kijk eens naar wat jou dierbaar is aan je eigen lichaam. Waar ben je blij mee, waar ben je dankbaar voor? En waar ben je blij mee als je aan het lichaam van je partner denkt?

Spreek eens expliciet uit dat je seksualiteit belangrijk vindt. Dat je ook hierin graag de liefde voor elkaar wilt ervaren en dat je bereid bent om samen te zoeken naar vormen van seksualiteit en intimiteit die recht doen aan jullie allebei.

Haal je een moeilijkheid in het vrijen voor de geest die zich wel eens voordoet tussen jou en je geliefde. Zoek dan eens naar jouw eigen aandeel in deze moeilijkheid, terwijl je je niet gaat afvragen wat het aandeel van de ander is. Probeer jouw aandeel hierin gewoon te zien, zonder jezelf hierover op de kop te geven, en kijk dan eens of je bereid bent om de ander inzage te geven in jouw aandeel in deze moeilijkheid.

Boekentips

Jan den Boer, *Het is tijd voor een liefdesrevolutie, een tantra-zoektocht naar bezielde passie*, Bert Bakker.

David Schnarch, *Seksdrive*, Lannoo.

John Welwood, *In liefde ontwaken, de liefdesrelatie als spirituele weg*, Servire.

4

Aanwezig zijn

Pure en totale aanwezigheid,
het universeel scheppende principe
...
Sereen van nature, onbegrensd als de ruimte,
belichaming van heelheid
...
Dit is het vlak van de scheppende energie van
het universum,
pure en totale aanwezigheid;
het is de bron van ieder spiritueel streven.

Uit: *Het Juwelenschip* van Lonchenpa (1308-1363)

In het beste geval voel je je in seks totaal levend, totaal aanwezig. Je ervaart nú, in plaats van bezig te zijn met gisteren of morgen. Je bent er van top tot teen, met alle lichaamszones daartussen er ook helemaal bij. Je staat open voor alles wat er is en bent vanzelfsprekend in contact: in verbinding met de ander, in verbinding met jezelf.

Dat lijkt zo'n open deur: in verbinding met jezelf, maar in de praktijk is dat nog niet zo gemakkelijk. Hoe vaak zijn we ergens maar een klein beetje bij, zijn we maar voor de helft aanwezig? Als je dingen op de automatische piloot doet bijvoorbeeld? Of als je dingen in haast doet. En vaak ook als je dingen doet omdat je vindt dat je dat moet, zonder dat je een impuls van binnenuit voelt.

Ook vrijen kan een ervaring zijn waarbij je maar voor een klein deel van jezelf betrokken bent. Je laat het over je heen komen omdat de ander het zo graag wil. Je doet mechanisch wat je denkt dat hoort en even later is het afgelopen. Je laat je even helemaal gaan en voor je het weet, is het voorbij. Je voelt wel de opwinding in je geslachtsdelen, maar verder laten de ander en de situatie je op dat moment koud.

Je vrijt om een vervelende situatie op je werk af te reageren. Of je wilt wel wat knuffelen met de ander, maar bij voorbaat per se niet het bibbergebied van de lust ingaan. In al die gevallen kun je bij het vrijen niet spreken van een vervullende ervaring.

Je lichaam bewonen

Aanwezig zijn, contact met jezelf hebben, begint met contact met je lichaam – niet alleen met bepaalde delen, maar contact met je lichaam als geheel, inclusief alle onderdelen.

Dan ben je 'geaard': in contact met je lichaam en de bodem. Dan voel je dat je voeten op de grond staan en merk je dat je benen en bekken 'er bij' zijn. Dat een stoel je draagt. Er is ruimte en tijd voor de ademhaling. Om te ontspannen, om te ervaren dat je er bent, is het een goede manier om van binnen je lichaam bewust te ervaren.

Een warm lichaam is eenvoudiger te bewonen dan een koud lichaam. Wanneer je last hebt van koude voeten helpt het daarom een paar warme sokken aan te trekken of je voeten in een teiltje warm water op temperatuur te laten komen. Als de warmte dan ook optrekt in je benen, je billen en je bekken is dat mooi meegenomen.

Je lichaam helemaal bewonen kan eraan bijdragen dat seks een vervullende ervaring wordt. Wanneer je echt aanwezig bent, kun je iedere zintuiglijke gewaarwording dieper beleven, ook het contact met de ander. Het maakt nogal uit of je alleen in je geslachtsdelen iets voelt of ook open kunt staan voor de sensaties in je benen, je buik, je hals en tussen je vingers, om maar eens iets te noemen. En in je hart. Omgekeerd kan de ander jouw strelingen ook dieper ervaren naarmate jij meer aanwezig bent in je lichaam.

Psychisch aanwezig zijn

Geen contact hebben met je lichaam is een manier om er niet honderd procent te zijn; allerlei gedachten in je hoofd koesteren is een andere manier om er niet helemaal bij te zijn. Een manier die voor veel mensen maar al te bekend is, in allerlei situaties. Gedachten over wat je nog moet doen. Bekritiserende gedachten. Flarden van gedachten aan een vorige gebeurtenis en allerlei gedachten over wat er kan gáán gebeuren... in plaats van met je denken aanwezig te zijn in dit moment. Al die gedachten kunnen je aardig moe maken en ervoor zorgen dat je niet echt openstaat voor wat er op dit moment gaande is.

Door te mediteren kun je leren langzamerhand de stroom van gedachten minder serieus te nemen. Je kunt ze leren behandelen als wolken die in de lucht passeren. Ze zijn er wel, ze komen en gaan, maar jij laat je er niet door op sleeptouw nemen. Je gaat niet zelf actief meedenken en verder denken als zich weer een gedachte aandient. Je ziet dat er een gedachte is, je bemoeit je er niet mee en je laat de gedachte weer gaan.

Ook met je gevoelens kun je op die manier omgaan. Ze net zo behandelen als de stroom van gedachten: je ziet dat het gevoel er is. Het mag er zijn. Maar je hecht je er niet aan. Je kijkt er naar. Je maakt het niet groter of kleiner. Je ontspant erin. En op een gegeven moment verdwijnt dat gevoel dan weer.

Af en toe ga je dan ook momenten ervaren dat er zowaar geen enkele gedachte of gevoel meer is. Dat is een moment dat je leeg bent. Meister Eckhart, de christelijke mysticus uit de dertiende eeuw zei daarover: 'Om God te ervaren moet je laag zijn. Je moet je helemaal leeg maken. Wanneer er dan ruimte in je is, kan God binnenkomen.'

Wanneer je leeg bent van binnen is de kans groter dat je openstaat voor een vervullende seksuele ontmoeting. Je staat dan meer open voor zintuiglijke ervaringen en innerlijke belevenissen die echt met het moment zelf te maken hebben – wat er ook komt. Je ervaart de diepte van ruiken en horen, de schoonheid van het moment, je voelt het als je huid aangeraakt wordt, je bent je bewust van de erotische vervoering. Je staat open voor contact, open om geraakt en in beweging gebracht te worden.

Ongewenste sensaties

Het is natuurlijk niet alleen maar halleluja. Je niet laten bezetten door gedachten en gevoelens brengt een risico met zich mee. Aanwezig zijn in het moment creëert een grote openheid in mensen en het is niet voor niets dat mensen juist vaak afwezig zijn. Als je er wel bij bent, kun je ook ongewenste gevoelens tegenkomen, zoals verdriet of angst. Je innerlijke stem kan gaan spreken, er kunnen wensen in je oprijzen, er kunnen impulsen komen. Je kunt bijvoorbeeld je grenzen niet meer negeren, wat je in je afwezigheid wel lukte, of je wilt ineens 'nee' zeggen tegen iets wat je altijd goed vond. Soms komt er onvrede omhoog die vraagt om actie of confrontatie met de ander. Soms ervaar je liefde en kwetsbaarheid waarmee je je geen raad weet en die je op andere momenten probeert te verbergen.

Wanneer je volledig aanwezig bent, maak je plaats voor het leven dat door je heen wil komen. Je gaat dus merken wat er in je leeft. Dat kan voor je ego ongewenst zijn, want je ego wil de touwtjes in handen hebben en je hebt het leven dan niet meer in je macht.

Je moet dus bereid zijn om te ervaren wat dit jou aan nieuws brengt. Daar hoort ook openheid naar je partner bij in voor jou tot dusver onbekende gebieden. Echt aanwezig zijn kan je liefdesleven dus inderdaad enorm verdiepen. En dan kunnen er nieuwe sensaties komen, zowel prettige als lastige.

Uit het nu

Je kunt allerlei gedachten in je hoofd hebben die een open samenkomen in de weg kunnen zitten. Bekend voorbeeld zijn lijstjes met dingen die je de komende dag nog wilt doen of wat je de afgelopen dag niet hebt afgerond. Zulke storende gedachten kunnen contact met je partner en je erotische gevoelens danig in de weg zitten. Ook bezorgde gedachten als: Reageert ze wel? Zou mijn man mijn buik niet te dik vinden? Kom ik niet te snel klaar? – kunnen ervoor zorgen dat je nu niet helemaal aanwezig bent. Het vrijen kan daarmee krampachtig en mechanisch worden en ver af staan van een ervaring van vertrouwen, ontspanning en overgave. Het is een kunst om in het vrijen, net als op andere momenten, dit soort gevoelens en gedachten niet af te wijzen, maar er ook op geen enkele manier voeding aan te geven. Zie dat zo'n gedachte er is en laat hem dan ook weer los. Keer terug met je aandacht naar je partner, naar het contact tussen jullie, en wees je bewust van wat je in je lichaam beleeft, hoe je vanbinnen reageert op jullie nabijheid.

Een speciale categorie gedachten die wel eens opspelen in een vrijpartij hebben te maken met eerdere vrijpartijen die je hebt gehad. Of met andere vrouwen of mannen die je aantrekkelijk vindt. Er kunnen opwindende beelden komen die je ergens gezien hebt en die kunnen maken dat je met je aandacht niet bent bij hoe het nu is. Die gedachten kunnen belemmerend zijn, vooral als het om negatieve herinneringen of beelden gaat. Het is een kunst om ze dan los te laten tijdens het vrijen.

Het kan ook om opwindende beelden van elders gaan en sommige seksuologen raden die soms zelfs aan om in de stemming te komen. Het is de vraag of je die beelden dan eigenlijk wel wílt loslaten. Maar realiseer je, dat jouw genieten van zulke beelden niet zoveel te maken heeft met het samenzijn met je partner. Je gebruikt dan eigenlijk het lichaam van je partner, terwijl je er niet de vervulling in vindt die je waarschijnlijk zoekt.

Hoe zou jij het vinden, als je de situatie andersom bekijkt, wanneer je zou horen dat je partner in de opwinding of het orgasme aan iemand anders denkt dan aan jou? Hoe vind je het om in jullie liefdesdaad in de geest eigenlijk gescheiden te zijn? Heb je het ervoor over, wanneer je dat niet wilt, om te gaan zoeken naar andere manieren van contact en vrijen? Zodat de opwinding die komt echt met jullie samen te maken heeft?

Aanwezig in het begin

Ook als je begint met vrijen, is het de vraag hoe aanwezig jij dan al bent. Ben je dan klaar voor een seksuele ontmoeting? Zijn er geen storende punten in jullie verstandhouding die wat jou betreft eerst uit de weg moeten voordat je echt openstaat? Zodat je bijvoorbeeld alleen maar even snel wilt vrijen, om er ook maar weer zo snel mogelijk van af te zijn?

Het is mooi als je bij het beginnen met vrijen al in contact bent met je eigen lichaam. Als je niet bezet bent door afleidende gedachten en gevoelens en je ontspannen voelt. In veel gevallen is het geen overbodige luxe om eerst jezelf teruggevonden te hebben, voordat je aan vrijen met de ander begint. Zoals Hanneke Korteweg schrijft in *Geest en drift*:

'Om zo vredig en rustig te worden dat je je in een paradijs ervaart, zul je je geest en je lichaam volkomen moeten ontspannen. Pas dan kun je opgaan in het moment en ervaren hoeveel goeds er om je heen is.'

Als je niet ontspannen bent en wel graag intiem met je geliefde wilt zijn, kunnen jullie daar samen iets aan doen. Jullie kunnen eerst eens beginnen met een omhelzing, die alleen maar bedoeld is om samen tot rust te komen. Je bent allebei niet op opwinding gericht, maar alleen maar op ontspannen samen zijn.
Hugging till relaxed noemt de Amerikaanse psycholoog David Schnarch dat in zijn boek *Passionate Marriage*. Hij stelt dat zo'n soort omhelzing al de helft van de seksuele problemen bij mensen helpt verdwijnen. Je gaat je ontspannen en je ervaart dat je samen met de ander bent.
Iets dergelijks kun je ook op een andere manier creëren. Bij elkaar gaan liggen en een tijdje alleen maar in elkaars ogen kijken bijvoorbeeld, kan ook wonderen doen. Als je daarin durft te ontspannen, dan geeft dat een goede basis om daarna elkaar aan te raken zonder in mechanische handelingen te vervallen.
Er zijn nog talloze andere goede manieren om je op het vrijen voor te bereiden. Vooraf alleen of samen een ontspanningsoefening doen of een meditatie kan je helpen om in het nu te komen. Je kunt dan je afleidende gedachten loslaten. Chris Grijns geeft in haar boek *Adempauze* bruikbare voorbeelden van drieminutenmeditaties gebaseerd op mindfulness.
Een ander idee is om voor het vrijen samen een voorbereidingsritueel te doen. Je maakt dan de ruimte waar je gaat vrijen voor dat moment extra mooi. Je kunt bloemen en kaarsen neerzetten of een altaar, als dat je aanspreekt. Ook zorg je dat het lekker warm wordt en brand je wat wierook, als je daarvan houdt. Door je aandacht hierop te richten, en ook door dit samen te doen, kun je spelenderwijs je gedachten over alles wat daarvoor gebeurd is, loslaten.

Voel je hier niets voor, maar wil je jezelf toch helpen om vanuit het dag- en werkbewustzijn open te staan voor je zintuiglijke ervaringen nu, dan kun je ook nog overwegen als voorbereiding op een vrijpartij eerst eens uitgebreid samen te douchen of een bad te nemen.

Ervoor kiezen

Kies je voor deze seksuele ontmoeting? Dat is een fundamentele vraag die een grote rol speelt. Kies je ervoor om het initiatief te nemen, de ander te benaderen en open te staan voor haar/zijn reacties zonder je eigen energie te verliezen? Kies je ervoor om in te gaan op het initiatief dat de ander neemt? Om open te staan voor de weerklank die haar/zijn initiatief in jou doet plaatsvinden? Kies je ervoor ter plekke je hoofd leeg te maken, open te staan voor je partner en de impulsen die je in jezelf op gang voelt komen?

Het is prachtig als je zo aanwezig kunt zijn in het begin van vrijen dat je je kunt laten leiden door de energie die er in jullie beiden is. In essentie is de vraag: Sta je open voor contact met de ander én sta je open voor lichamelijke sensaties, wanneer die zich aandienen? En blijf je ook open staan voor contact en intimiteit wanneer er zich geen opwinding aandient?

Liefde en lust

Seksualiteit bestaat om via contact en opwinding op een indringende manier met de ander samen te komen; elkaar te ontmoeten en intens de verbinding met de ander te ervaren. Anders gezegd: meestal ervaren mensen het vrijen als het meest vervullend als daarbinnen zowel plaats is voor liefde als voor lust.

Soms strijden lust en liefde met elkaar, en vindt de één dat de lust te weinig ruimte krijgt en vindt de ander datzelfde van de liefde. Het is een hele kunst om beide er volledig te laten zijn. Een vrouw en een man kunnen een heel ander beeld hebben van dezelfde situatie.

De vrouw:
'Toen ik met mijn man samen kwam om dicht bij elkaar te zijn, wilde ik eerst graag de tijd hebben om contact te maken. Hem te zien, hem te ruiken. Elkaar in de ogen te kijken en te lachen met elkaar. Mijn hand op zijn borst te leggen en te voelen dat hij ademde. Zijn mooie stem te horen en een paar dingen tegen hem te zeggen. En elkaar zachtjes te kussen om te wennen aan zijn aanrakingen.'

De man:
'Vooraf had ik mijn vrouw zien lopen door het huis in dat prachtige rode bloesje. Ze was vrolijk en had een mooi decolleté. Op dat moment kreeg ik zin om met haar te vrijen en helemaal in haar te verdwijnen. Toen onze kinderen eindelijk de deur uit waren konden we wat mij betreft niet snel genoeg aan het vrijen beginnen. Het liefst had ik haar mee naar boven gesleurd, op het bed gegooid en direct laten voelen aan mijn stijve hoe graag ik haar wilde. Haar borsten gevoeld in die mooie bloes en direct in haar gekomen.'

Tussen vrouwen en mannen, of breder: tussen de ene en de andere partner, is dit nogal eens een struikelblok. Hoe ga je ermee om als de een erg opgewonden is en sneller wil vrijen en de ander niet zo in die stemming is en het rustig aan wil doen? Kun je dan wel samen aanwezig zijn? Dat vraagt van partners een hele kunst in het afstemmen.

Overigens is het prachtig als twee mensen vanaf het eerste moment van toenadering wel direct samen in een energetische uitwisseling komen. Samen stil en teder bij elkaar zijn of elkaar meevoeren in een extatisch samenkomen. Zulke momenten waarop je elkaar direct kunt vinden, ervaar ik als grote genade.

Begeerte en orgasme

Hoe moet vrijen eigenlijk vorm krijgen? Is het alleen compleet bij contact, opwinding en klaarkomen? En wie moet daarvoor zorgen? Of is een tijd bij elkaar zijn in heerlijk lichamelijk contact zonder meer ook goed? Zijn er ook andere varianten?

Als je in de gelukkige omstandigheid verkeert dat je elkaar als stel in de seksualiteit vaak gemakkelijk kunt vinden, dan spelen deze vragen niet zo'n rol. Als je beiden helemaal gelukkig bent met hoe het gaat tussen jullie, en als je dat na jaren nog steeds kunt zeggen, in wisselende perioden van je leven, dan kun je hoogstens kijken of je je repertoire nog wat kunt uitbreiden. Maar de meeste stellen zijn níet jaren achtereen helemaal vervuld in hun seksuele liefdesleven, en dan zijn dit soort vragen aan de orde – waar je uiteindelijk als stel je eigen weg in zult moeten vinden.

Begeerte en klaarkomen of het idee dat klaarkomen moet (of dat het snel moet) kan al het andere dat er te ervaren valt, aardig in de weg zitten. In het vrijen en het liefkozen is er zoveel te beleven. Vaak komt er een grote doelgerichtheid op de voorgrond, gericht op het orgasme. Als je het daar iedere keer helemaal over eens bent, is dat natuurlijk prima. Al is het de vraag of dat jullie de grootst mogelijke vervulling brengt. Besef wel dat die doelgerichtheid weinig ruimte laat voor ander contact dat niet in eerste instantie op klaarkomen gericht is. Dus het is de vraag hoe doelgericht jullie (altijd?) willen zijn. Hebben jullie ruimte voor samen verwijlen, je aan elkaar bekennen? Gewoon samen aanwezig zijn en tijd nemen voor spelen. Elkaar ontmoeten, waarbij er niets moet? Opgewonden of niet. Hebben jullie ruimte voor samen zijn waarbij je pas later bekijkt wat je met je behoefte aan klaarkomen doet? Tijd voor het liefdesspel, dat zich volgens ontelbare scenario's kan ontvouwen?

Tips

Kijk eens wat jij eraan kunt doen om je lichaam te bewonen. Houd je voeten warm en voel ze op de grond. Voel je zitvlak op de stoel en geef ruimte en tijd aan je ademhaling. Draai rond met je handen en voeten en voel of er wat tintelingen in je armen en benen ontstaan. Beweeg een beetje met je bekken. En voel de beweging van je adem in je buik en in je hartstreek onder je handen, als je die daar neergelegd hebt.

Spreek eens af om voor het vrijen samen eerst te ontspannen in een omhelzing. Zoek samen naar een houding waarin je inderdaad je lichaam niet spant. Neem de tijd voor het ontspannen en kom samen tot rust. Sta jezelf toe dat je niets hoeft, ervaar alleen maar jezelf en de ander, terwijl je je adem door je heen voelt komen.

Als je mediteert, dan oefen je je in gedachten en gevoelens die opkomen ook weer laten gaan. Kijk eens of je dat ook kunt toepassen tijdens het vrijen. Wees dan puur met je aandacht bij wat er nu gebeurt. Sta open voor iedere geur, iedere blik, ieder beeld en ieder geluid. Beleef iedere aanraking alsof je die voor het eerst meemaakt. Als je geraakt wordt, laat dat dan gebeuren en wees niet bezig met wat er hierna in het vrijen moet gebeuren.

Stel je eens voor dat je een keer vrijt zonder dat jullie op een orgasme gericht zijn. Jullie weten dus beiden dat dat niet gaat gebeuren en hebben daar ja tegen gezegd. Hoe ziet dat eruit in je verbeelding? Wat doen jullie dan? Wat laten jullie? Wat doe jij? Wat doet de ander? Zegt er iemand iets? En wat zou je daarna kunnen doen? En wat zou je ook nog kunnen doen? Waar neem je de tijd voor? Wat gebeurt er verder?

Boekentips

Jon Kabat-Zinn, *Waar je ook gaat, daar ben je*, Servire.

Hans Knibbe, *Meditatie in beweging*, Stichting Zijnsoriëntatie.

Eckhart Tolle, *De kracht van het nu*, Ankh-Hermes.

5

Zijn wie je bent

Voor het einde sprak rabbi Sussja:
'In de komende wereld zal men mij niet vragen:
waarom ben je Mozes niet geweest?
Ze zullen mij vragen:
waarom ben je Sussja niet geweest?'

Martin Buber, *Chassidische Vertellingen*

Ieder mens is uniek. Alle mensen samen, met hun verschillende eigenschappen en kwaliteiten, vormen het geheel van de mensheid. Ieder geeft op de eigen manier de wereld een kleur die nodig is om het palet compleet te maken. Geen enkele kleur kan gemist worden. Je bent als mens deel van het grote geheel. Je voelt je meer vervuld en gelukkiger naarmate je meer je eigen kleur aanneemt.

Met een spirituele levenshouding ben je authentiek. Hoe kun je zijn wie je in wezen bent? Wat past er echt bij jou? Om daarop een antwoord te vinden, is het raadzaam naar de stem te leren luisteren die binnen in je klinkt. Het is de vraag hoe je kunt leven van binnenuit. Hoe je je kunt laten leiden door wat er in jou leeft en hoe je authentiek je leven vorm geeft in verbinding met je bron. Daarbij zijn je diepste wensen en verlangens leidraad – niet je begeerte: niet dat wat je nu snel wilt hebben en dat je het volgende moment verveelt, maar de verlangens vanuit je bron. Wat zijn je liefste wensen?

Dit geldt ook voor seksualiteit. Hoe kun je in seksualiteit zijn wie je bent? Wat past bij jou, wat past niet bij jou? Wat leeft er in jou? Wanneer ben je in je element in het vrijen? Past het wel of niet bij jou om je grenzen af en toe ook te verleggen?

Je positieve ervaringen met seksualiteit en je wensen en verlangens kunnen je richting geven als je zoekt naar wie jij seksueel bent. Zoals op zoveel terreinen is hier zelfkennis van onschatbare waarde. Hoe beter jij jezelf kent op het terrein van seksualiteit, hoe meer je in handen hebt om je liefdesleven een positieve impuls te geven.

Echt zijn

Soms heb je op het gebied van seksualiteit de neiging om een rol te spelen. Je speelt de man die altijd zin heeft in vrijen; of de vrouw die bij elke vrijpartij na een paar minuten hartstochtelijk op haar man reageert en zich vol extase laat meeslepen door wat er gebeurt; of de geliefde die ervoor zorgt tijdens het beminnen nooit een woord te spreken, omdat dat in zijn ogen de stroom alleen maar kan onderbreken.

> Joke is in het vrijen met haar vriend in een patroon terechtgekomen. In het begin van hun relatie deed ze een keer alsof ze klaarkwam, terwijl dat niet gebeurde. Een paar weken later merkte ze dat het een gewoonte geworden was. Anderhalf jaar later zoekt ze naar moed om die benauwende gewoonte, waarin ze niet echt is, te doorbreken. Op een gegeven moment vertelt ze haar vriend dat ze hem om de tuin leidt en dat ze ernaar verlangt om voortaan echt te zijn in hun lichamelijke contact. Wat een opluchting dat ze hem nu eindelijk recht in de ogen kan kijken.

Wat een opluchting als je in het vrijen niet de schijn hoeft op te houden, als je bewegingen en je reacties van binnenuit komen. Als je het gevoel hebt dat je uit één stuk bent en dat wat je doet in verbinding is met je gevoelens en impulsen.

Zelfkennis

Hoe jij bent als seksueel wezen, is anders dan een ander. Jij bent niet hetzelfde als je broer of zus of je beste vriend of vriendin. En ook niet zoals alle vrouwen, alle mannen, alle hetero's, alle homo's, alle lesbische vrouwen of alle biseksuelen. Hoe je nu bent, is het resultaat van een rijk samenspel tussen je ervaringen, je lichamelijke gesteldheid, je kijk op jezelf en wat je meegekregen hebt aan eigenschappen en kwaliteiten. Daarin heb je, ook op het gebied van seksualiteit, je sterke en je zwakkere kanten, je voorkeur en dat wat je afkeer inboezemt.

> Een vrouw:
> 'Ik hou erg van zoenen. Kort, lang, langzaam en heel nat, even snel speels. Een vrijpartij is voor mij niet compleet als we niet ook een flinke tijd aan kussen hebben besteed. Ook door de dag heen vind ik het heerlijk om tussendoor even een minuutje te zoenen met mijn vrouw. Mijn zin om 's avonds te gaan vrijen ontstaat soms dan al. Maar jammer genoeg is mijn vrouw er lang niet zo dol op als ik.'

Een man:
'Ik kan heel snel opgewonden worden en klaarkomen. Af en toe geef ik daaraan toe, alleen of met mijn vrouw, als ze bereid is daar in mee te gaan. Maar ik merk ook: als ik veel meer de tijd neem voor het vrijen, echt openstaan voor alles wat er kan gebeuren, zowel mezelf als de ander helemaal ervaar, dan ga ik het vrijen veel meer door mijn hele lichaam voelen. Dan komt er ook geluk bij en innerlijke vrede. En daar ervaar ik dan vaak de hele dag door nog een heerlijke nawerking van.'

Het maakt nogal uit of je iemand bent die veel geduld heeft en van rustig aan houdt, of iemand die graag snelle actie wil. Iemand die graag van alles wil uitproberen, of iemand die volmaakt gelukkig is bij één bepaalde manier van vrijen. Of je van leiden of van volgen houdt. Of van allebei, op z'n tijd. En een nog grotere kunst dan jezelf kennen is de kunst om alles van jezelf ook écht te willen zien.

Een man:
'Ik heb een hang naar porno. 's Nachts zet ik soms de tv of de computer aan om seksscènes te bekijken. Ik weet van mezelf dat dat voor mij een soort verslaving is. En ik word er nooit gelukkig van. Na de kick van het moment voel ik me meestal leeg.
Sinds ik in een training twee jaar geleden openlijk toegegeven heb dat ik kick op porno, lukt het me beter om daar niet te veel tijd aan te verdoen. Want er zijn heel wat andere bezigheden in het leven die me wél echt voldoening geven. Zoals fietsen met mijn vrienden, naar goede muziek luisteren. En vrijen met mijn vrouw.'

Een vrouw:
'Ik ben licht ontvlambaar. Ik vind ook snel iemand anders dan mijn eigen partner aantrekkelijk. Ik weet dat van mezelf, het is nu eenmaal zo. Het is voor mij dan verleidelijk om te gaan fantaseren over vrijen met die ander. Mijn "betere ik" wil dat niet. Ik kies niet voor seks met meer dan één mens, hoe graag ik dat ook zou willen. Ik verwacht daar geen enkel heil van. Maar intussen ben ik dus wel snel ontvlambaar.
Nu ik dat accepteer van mezelf, ga ik daar constructiever mee om dan vroeger. Toen vroeg ik me nog wel eens stiekem af of ik toch

niet een keert een nachtje in bed met zo'n ander kon doorbren-
gen. Op een congres of zo. Nu vind ik mezelf echt te vertrouwen
op dat punt. Ik doe dat gewoon niet. Ik geniet van het contact met
een andere leuke man of vrouw, zonder in mijn hoofd de gedachte
te koesteren dat het verder zou moeten gaan. Wat er ook bij
hoort, is dat ik er in gedachten niet mee bezig ben, als de persoon
in kwestie er niet is. Dan laat ik hem los. Natuurlijk komt zo'n
gedachte dan nog wel eens op, maar ik heb geleerd die dan niet
meer te voeden. De seksuele energie die daarmee gepaard gaat,
besteed ik liever aan mijn eigen man.'

Het is niet zo gemakkelijk om te weten hoe jij op het gebied van
seksualiteit bent. Vaak heb je het jezelf nooit afgevraagd. Verder
verschilt je kijk op jezelf ook van tijd tot tijd. Het gaat niet om
een vaststaand beeld dat altijd hetzelfde blijft. Regelmatig komt
er een nieuwe, voorheen onbekende kant van je naar boven.

Een vrouw:
'Tot voor kort kleedde ik me altijd sportief en functioneel, maar
sinds mijn nieuwe liefde lijkt het wel alsof ik meer vrouw geworden ben. Ik ken mezelf bijna niet meer terug als ik in de spiegel
kijk.'

Hoe beter je jezelf kent, hoe meer je in staat bent om de seksualiteit in je leven op een voor jou passende, levendige manier
vorm te geven – waarbij spannend is of je partner en jij elkaar
daarin kunnen vinden – maar jouw bijdrage aan het geheel is
dan duidelijk. Je kunt dan wendingen geven aan het vrijen die bij
jou passen. Daarvoor is het nodig dat je jezelf in enige mate kent
en dat je ervoor open voor staat om alles van jezelf te willen zien.
Dit geldt ook voor gewoonten in het vrijen waarvan je zelf last
hebt, of je partner. Als je een man bent die meestal erg snel klaar
komt of een vrouw die niet gemakkelijk klaarkomt maar dat wel
graag wil, dan heb je zelfkennis en nieuwsgierigheid nodig. En
daarmee zelfacceptatie. Wat speelt er bij jou? Hoe werkt dat bij
jou? Hoe kun je meer ontspannen in het vrijen? En waar verlang
je eigenlijk naar?

Je wensen en verlangens

Zijn wie je bent, heeft alles te maken met de wensen en verlangens die er in jou leven. Jouw wensen en verlangens geven je richting – of ze nu vervuld worden of niet. Terwijl ze steeds veranderen, ben jij er uniek in. Je wensen en verlangens, je innerlijke stem, je impulsen van binnenuit geven je brandstof om de seksualiteit in je liefdesrelatie vorm te geven. Vanuit jouw wensen en verlangens creëer je samen met je geliefde (met haar/zijn wensen en verlangens) jullie eigen seksualiteit. Dat start uiteraard bij je wens om überhaupt contact en seks te hebben. Zonder wens tot seksueel contact zou er helemaal geen seksueel contact zijn.

De eerste vraag is of je bereid bent bewust te ervaren dat je naar de ander verlangt. Dat je hem of haar wilt. David Schnarch spreekt in dit kader in zijn boek *Passionate Marriage* van *wanting to want*, bereid zijn om naar de ander te verlangen. Soms zijn mensen daartoe niet bereid, terwijl ze het wel heerlijk vinden om te merken dat de ander hen begeert. Dit kan de 'niet-begeerde' partner uiteraard erg onzeker maken.

Uit liefde voor je partner siert het je als jij jouw verlangen naar je partner (weer) voedt en durft te ervaren. Kijk eens of je al jouw eigen seksuele energie kunt inzetten. In jullie vernieuwde ontmoeting gebeurt dan misschien zo veel, dat jouw verlangen naar je partner weer groeit. Dat verlangen is voorwaarde voor voortzetting en verdieping van je liefdesleven.

Verder is het vruchtbaar om te gaan kijken waarnaar je verlangt. Wellicht is er iets nieuws dat je met je geliefde zou willen beleven.

> Een man:
> 'Af en toe vrijen mijn vrouw en ik. Ik zou wel vaker willen. En als ik eerlijk ben, zou ik ook wel eens op andere plaatsen willen vrijen dan alleen in de slaapkamer. Zoals ik vroeger nog wel eens deed, met mijn eerste vriendin. Of buiten. We hebben hier een groot park in de buurt met veel verlaten donkere hoeken. Als het dan zo'n mooie zomeravond is en al bijna donker wordt, dan zou ik bij

een wandeling door het park eigenlijk wel samen een plek op willen zoeken waar niemand ons ziet.'

Het gaat bij openstaan voor je wensen trouwens niet alleen maar om grote stappen. Ook kleinere dingen zijn belangrijk. Zullen we eens wat meer tegen elkaar zeggen bij het vrijen? Ik zou je graag rustig van top tot teen bekijken... Zullen we het licht aanlaten? Of juist eens uitdoen? Dit soort experimenten kunnen maken dat je het vrijen als vervullender ervaart en als meer van jou, als levensgebied waarin jij thuis kunt zijn, omdat je in verbinding met je geliefde je eigen kleur draagt.

Als je openstaat voor je eigen wensen en verlangens, dan kom je misschien tot de ontdekking dat die anders zijn dan wat je altijd hoort over seks. Er bestaan mythen en normen over seks die bij veel mensen hardnekkig leven. Een voorbeeld is de frequentie van vrijen: het is niet te geloven hoe onuitroeibaar het idee is dat er in een goede relatie minstens twee keer per week gevreeën moet worden!

Grenzen en grenzen verleggen

Naast je wensen en verlangens zijn ook je grenzen belangrijk. Als jij bijvoorbeeld niets voelt voor een bepaald standje, dan is het belangrijk dat je je grens voelt en aangeeft. Het is zonde om samen iets te doen waarbij jij niet in liefde betrokken bent. Ook als de ander wil vrijen en jij staat daar niet voor open, is het goed als je jezelf geen geweld aandoet en daar niet willoos in mee-gaat, omdat er dan een kans is dat je jezelf gebruikt gaat voelen. Seksualiteit brengt op zo'n moment dan eerder verwijdering tussen jullie als geliefden, dan verbondenheid.

Om je eigen grenzen te kunnen aangeven, is het van belang dat je ze om te beginnen kunt opmerken. Wat voor veel mensen niet eenvoudig is. Des te lastiger is dat wanneer iemand seksueel misbruik heeft meegemaakt. Bij seksualiteit in volle bewustzijn hoort openstaan voor je eigen innerlijke reacties en daar horen grenzen bij.

Tegelijkertijd zijn grenzen ook betrekkelijk. Als je je grens kunt voelen in seksualiteit en tegenover je partner kunt aangeven, krijg je soms daarna ruimte die grens ook weer te verleggen. Wie nee kan zeggen, krijgt ook ruimte om ja te zeggen. Daarbij is de reactie van je partner van groot belang. Wanneer je partner jouw grens accepteert en respecteert, zelfs al laat hij je tegelijkertijd merken dat hij het jammer vindt, komt er soms die nieuwe ruimte in je. Dan wil je bijvoorbeeld dat standje dat je niet aanspreekt toch wel uitproberen. Uit liefde voor je partner. In contact met je partner en met jezelf. Samen ga je op onderzoek, kijk je wat het je doet, terwijl je je eigen gevoelens erbij respecteert en je niet het gevoel hebt dat je nu aan een bepaald beeld van perfectie moet voldoen. Jij reageert gewoon zoals het in je leeft, met alle kwetsbaarheid die daarbij hoort. Zodat je in dat uitproberen ook bent wie je bent.

Op zoek naar je wensen en verlangens

Hoe belangrijk je grenzen ook zijn, ik kom weer terug bij de wensen en verlangens die er in je leven, want als je je liefdesleven wilt verdiepen, is het van essentieel levensbelang om in contact met je wensen te zijn. Met jouw wensen en die van je partner creëren jullie samen je liefdesleven.

Sommige mensen zijn heel goed in contact met hun wensen en anderen lijken weinig wensen te kennen. De partners in een liefdesrelatie zijn hier nogal eens tegengesteld in en die verschillen polariseren vaak. Voor ieder is mijn devies: ga (verder) op zoek naar je wensen.

Als je iemand bent die op het eerste gezicht weinig wensen heeft, is het een belangrijke vraag waar je dan wél naar verlangt in je liefdesleven. Is dat bijvoorbeeld schuifelen of dansen met je partner? Vaker klaarkomen? Eerst eens dingen uitpraten? Elkaar masseren? Vrijen zonder te hoeven klaarkomen? Vrijen in een ander standje? Een lekker lang voorspel? Anders aangeraakt worden? De mogelijkheden zijn legio.

Als je iemand bent die normaal gesproken veel verlangens kent, kijk dan eens of er wellicht ook nog andere wensen in je leven dan degene die maar al te bekend zijn voor jullie alle twee.

> Een man:
> 'Altijd maar het gevoel hebben dat ik de verantwoordelijkheid heb in het vrijen... Ik zou het eigenlijk heerlijk vinden om een keer alleen maar heel lang gekoesterd te worden.'

Andere wensen, of aanvullende wensen. Want wie weet komen er in die nieuwe verlangens die je van jezelf ontdekt wel andere kanten van jezelf naar boven, waar de ander gemakkelijker in mee kan gaan dan in de wensen die hij of zij meestal van jou merkt.

> Een man:
> 'Het loopt al een paar jaar seksueel niet meer zo lekker tussen mijn vrouw en mij. Ik durf mijn vrouw bijna niet meer aan te raken, omdat ze vrijwel altijd afwerend reageert. Nu heb ik haar gevraagd of ik haar eens een kwartier zal masseren en of ze dan wil laten weten op welk moment ze het even wel fijn vindt. Hoe kort zo'n moment ook is. En of ze daar eerlijk in wil zijn. Mijn verlangen is dus eigenlijk ook om haar beter te leren kennen in hoe zij mijn aanrakingen ervaart.'

Als je je liefdesleven wilt verdiepen, is het de moeite waard naar je onontgonnen verlangens op zoek te gaan. Die kunnen nieuwe openingen geven om elkaar te vinden in intimiteit en seksualiteit. Zo'n proces van zoeken vraagt inzet en toewijding van je, en kwetsbaarheid, maar verdieping in het leven kan niet zonder.

Wensen op het spoor

Als je je afvraagt hoe je met nieuwe wensen en verlangens in contact kunt komen, volgen hier een paar handreikingen.

Zo kun je eens aandacht besteden aan positieve ervaringen die jij in het verleden met vrijen hebt gehad. Of dat nu met je huidige partner was of met iemand anders. Haal je eens één fijne ervaring voor de geest en schrijf eens uitgebreid op hoe die ervaring voor jou was: Wat gebeurde er en hoe voelde jij je? Hoe begonnen jullie? Wat vond je zo fijn aan die ervaring? En *last but not least*: Hoe was jij zelf in die situatie, van het begin tot einde? Wat ging er toen van jou uit, wat zette je in? Wat deed je en wat liet je?

Stilstaan bij zo'n ervaring kan je op het spoor brengen van wat je nu (eigenlijk) ook graag met je geliefde zou willen beleven. Of stukjes daarvan. Op het spoor van waar je (ook) naar verlangt. Wellicht kom je in contact met verlangens die nu net als vroeger nog in je leven en die je, als je wilt, aan je geliefde kenbaar kunt maken. Als je die stap durft te zetten ... want daar is moed voor nodig! Op die manier kun je zelf een nieuwe impuls aan jullie liefdesleven geven.

Het brengt ook inzicht in hoe jij kunt zijn. Hoe jij bent wanneer je een seksuele ontmoeting helemaal welkom heet.

Eenzelfde functie kunnen erotische scènes in boeken of films voor je hebben. Als je merkt dat een bepaalde scène je iets doet, dan kun je eens kijken naar wat het is in die situatie dat jij erotisch vindt. Wat is het waardoor jij je aangesproken voelt? Raakt dat, als je eerlijk bent, een bepaalt verlangen in jou aan? En wat is het dan, waar je eigenlijk wel naar verlangt? En mag je daar van jezelf naar verlangen? Mag jij van jezelf zijn wie je seksueel bent?

Nog een stap verder ga je wanneer je je eigen seksueel getinte dagdromen, voorkeuren en fantasieën als ingang neemt. Deze kunnen allemaal heel verrassende nieuwe inzichten bieden in je eigen verlangens. Je kunt die inzichten krijgen als je helemaal open durft te staan voor wat er seksueel in jou leeft, want dat soort dromen en fantasieën zeggen wat mij betreft meer over jezelf en je eigen wensen dan over de andere mensen die erin voorkomen. Wanneer jij bijvoorbeeld wel eens over de buurman mijmert en hem zo'n leuke man vindt... Wat zegt dat dan over jou? Wat leeft er dan blijkbaar in jou? Waar verlang je dan naar? En mag dat verlangen er eigenlijk wel zijn van jezelf? En die verborgen seksuele energie... Zo zie ik dat.

Dan nu nog de spannendste vraag: wat zou je dan dus eigenlijk aan je eigen partner kunnen vragen? Voor wat voor verlangen zou je uit kunnen komen? En dan bedoel ik in dit geval niet uitkomen voor een verlangen richting de buurman, maar richting je eigen partner, want het verlangen dat in jou leeft kan ook een nieuwe impuls betekenen voor de intimiteit en seksualiteit die jij beleeft met je geliefde – want hij/zij mag jou dan helemaal kennen.

Hetzelfde geldt voor seksuele fantasieën. De meeste mensen vinden bepaalde omstandigheden of voorstellingen extra opwindend. En ieder mens heeft daar zo zijn eigen invulling voor. Soms gaat het om beelden waar je niet trots op bent. Maar ook zulke 'privégedachten' kun je gebruiken als brandstof voor de liefdesrelatie met je partner. En dan bedoel ik nog niet eens door die fantasieën samen in het echt te gaan uitvoeren (al kan dat ook, als je daar allebei voor voelt), maar door te kijken naar welk verlangen die fantasie voor jou belichaamt: welke energie staat in die fantasie centraal? Daarbij hoef je de fantasie niet per se helemaal letterlijk te nemen, want het gaat om de energie die erin op de voorgrond treedt, vooral in de persoon met wie jij je het meest identificeert. Belichaam jij zelf die energie in jullie liefdesspel voldoende? Mag jouw partner van jou wel weten dat jij dit opwindend vindt? Heb je hiermee, als je die energie die in je leeft serieus neemt, een verzoek aan je partner? Waar verlang je dus eigenlijk naar, in hoe jij zelf in het vrijen bent? En waar verlang jij dus naar in hoe jouw partner in het vrijen is?

Misschien kom je hiermee, als je bereid bent om dit te onderzoeken, inderdaad een onverwachte nieuwe impuls op het spoor, die jij aan het liefdesspel van je partner en jou kunt bijdragen.

Tips

Schrijfoefening

Maak je eens een voorstelling van een heerlijke vrijpartij, bijvoorbeeld met een nieuwe partner met wie je heel blij mee bent. Jullie zijn nu een half jaar bij elkaar. Je beleeft met haar/ hem deze avond de liefde en de seks zoals het voor jou aan het ideale grenst. Beschrijf eens uitvoerig wat er gebeurt. Wat jij doet en laat. Wat de ander doet en laat. Wat er daarna gebeurt. Et cetera.

Ten slotte: als je alles beschreven hebt, kijk dan eens opnieuw naar je tekst: Waar houd jij dus van in het vrijen? En waar verlang jij dus eigenlijk met jouw partner ook naar?

Weet jij van jezelf dat je een seksuele kant hebt die je liever niet wilt zien? Hoe zou jij jezelf kunnen helpen om die kant meer te gaan accepteren?

Welke man of vrouw van dezelfde sekse als jezelf vind je een leuke, erotische man of vrouw?

Loop eens een tijdje door de kamer heen en weer terwijl je kijkt of je de energie die hij of zij belichaamt ook in je eigen houding en bewegingen tot uiting kunt brengen. Wat maakt zo lopen in je wakker?

Boekentips

Hanneke Korteweg, *Geest en Drift*, Servire.

Cornelia Werner, *Leren genieten van sensualiteit en seksualiteit*, Zuidnederlandse Uitgeverij.

6

Ontmoeting

Het grondwoord Ik-Jij kan slechts
met het gehele wezen gesproken worden.
Het samenvoegen en versmelten
tot het gehele wezen kan nooit door mij,
kan nooit zonder mij geschieden.
Ik word aan het Jij. Ik wordend spreek ik Jij.
Alle werkelijke leven is ontmoeting.

Martin Buber, *Ik en Jij*

Hoezeer je innerlijk ook vrij bent in je seksualiteit, het moment dat je samen met de ander bent en samen seksualiteit wilt beleven, gaan er ook dingen spelen die specifiek met de wisselwerking tussen je partner en jou te maken hebben. In je eentje kun je een heleboel doen om bij te dragen aan het verdiepen van je liefdesleven: je kunt je ervoor inzetten positief tegenover seksualiteit te staan, te houden van het leven, liefdevol te zijn, je aanwezigheid te ontwikkelen en steeds meer te zijn wie je bent. Als je dan samen bent met je geliefde voor het beminnen, hoe kan dan spiritualiteit een leidraad voor je zijn door de ander wezenlijk te ontmoeten? Hoe kun je zonder onnodige verdediging vanzelfsprekend met de ander in contact zijn? Hoe kunnen jullie de vreugde van de ontmoeting smaken? In jou is een rijkdom aan liefde en seksuele energie.
In de ander is ook zo'n rijkdom.
Hoe kunnen jullie samen nieuwe rijkdom creëren?

Samen plezier, samen verbondenheid, samen tijd

Natuurlijk is de context van je relatie heel belangrijk wanneer je samen vervullend wilt beminnen. Als de fut uit de relatie als geheel is verdwenen, is het moeilijk die fut wel op het gebied van vrijen terug te vinden. Wanneer je niet tevreden bent met af en toe een geïsoleerd moment van lekker vrijen met je partner, terwijl je met de rest van je relatie niet tevreden bent (als dat al voor beiden zou kunnen bestaan, voor langere tijd...), dan zul je dus, om samen fijn te kunnen vrijen, ook veel aandacht moeten besteden aan de rest van je relatie.
In de context van dit boekje ben ik daarover kort, maar het is uiteraard van levensbelang. Het ideaal van een langdurig intiem, avontuurlijk en vervullend liefdesleven vraagt om een stevige liefdesrelatie als basis. Daar hoort ook intimiteit, inspiratie en plezier met zijn tweeën buiten de slaapkamer bij; conflicten steeds opnieuw achter je kunnen laten en voldoende tijd voor elkaar hebben.

Realiseer je: het gaat hier alleen om de context van je seksuele liefdesleven. Als twee mensen vinden dat hun relatie beter begint te lopen, dan betekent dat niet automatisch dat de seks ook fijner wordt. Het seksuele liefdesleven in en buiten de slaapkamer heeft (ook) een heel eigen, zelfstandige dynamiek – daar gaat dit boekje vooral over.

Afstemming

Seksualiteit vraagt de opperste afstemming tussen mensen. Het gaat om een ware ontmoeting. In de geest en via het lichaam één worden, dat is nogal wat. De ander benaderen, op elkaar reageren. Je eigen impulsen volgen en rekening houden met de ander. Er zijn en je laten raken, omgaan met je verwachtingen. Zo mogelijk je overgeven liefst genieten en dat allemaal dichter op de huid en dichter bij elkaar dan in wat voor andere situatie dan ook.

Doelgerichtheid in het vrijen kan de afstemming en het contact in de weg zitten.

Jan den Boer, tantratrainer en auteur van verschillende boeken over tantra, heeft het over verschillende manieren van aanraken:

> 'Wanneer je je hand doelgericht over het lichaam van een ander laat gaan, zal diegene zichzelf vroeg of laat terugtrekken uit het contact. Wanneer je je hand laat rusten op de hand of het lichaam van de ander en wacht tot er een gezamenlijke beweging ontstaat, ontstaat er contact in betrokkenheid en afstemming.'

Afstemming en contact in een liefdesontmoeting begint ermee dat ieder echt aanwezig is. Ervaren van onderling contact is nodig om het vrijen niet mechanistisch te laten worden en de kans op vervulling te vergroten. Voldoende contact tussen de partners kan er trouwens gevarieerd uitzien. Wanneer over en weer duidelijk is dat je beiden een vluggertje wilt, dan kun je daar soms samen in vol contact helemaal ingaan. Maar op andere momenten zijn voor voldoende contact ook wat woorden, wat kijken of een knipoog nodig. Of elkaar laten horen hoe je op elkaar reageert.

Het is mooi als je vervolgens in de verschillende fasen van het vrijen met elkaar in contact kunt blíjven. Dat je je niet afsluit voor jezelf en voor de ander. Dat je je laat raken door de ander. En dat zij of hij jou echt mag zien en ervaren, in alle reacties die je op jullie samenzijn hebt.

Patronen doorbreken

In principe kan het liefdesspel allerlei verschillende vormen aannemen. Wat je met elkaar kunt doen is eindeloos... maar feit is dat na een tijdje twee mensen in een relatie meestal lang niet meer alle mogelijkheden benutten die er zijn. Hun seksuele liefdesontmoeting worden eenvormiger. Vaak ontstaat er een min of meer vast patroon: Meestal is het de een en niet de ander die het initiatief neemt. Vaak is er een vaststaand idee over wie van de twee vaak en wie weinig wil vrijen. Regelmatig is er een bepaald stramien van handelingen dat het stel doorloopt bij een vrijpartij.

Het oorspronkelijk zo frisse liefdespaar ontwikkelt allerlei gewoontes die veiligheid kunnen bieden en ook aansluiten bij wat ieder het liefste wil, maar meestal dragen dit soort patronen, vooral wanneer mensen geen vrijheid meer voelen om daar buiten te treden, niet bij aan vervulling. Het is mooi als mensen zich in het vrijen van top tot teen levend in contact kunnen voelen met hun geliefde. Dat gebeurt gemakkelijker als er alle vrijheid is om gedragspatronen ook los te laten of bij te sturen.

Avontuur en in het diepe springen

Mensen hebben meestal tegenstrijdige verwachtingen en wensen. Ze willen geborgenheid en avontuur. Totale overgave en ook vertrouwdheid. Onverwachte wendingen en verrassingen in het vrijen, maar ook de macht niet uit handen geven. Als mensen naar meer vervulling op dit gebied verlangen, dan beseffen ze vaak niet dat ze daarvoor bereid moeten zijn om helemaal in het diepe te springen: juist, vooral, met hun eigen vertrouwde liefdespartner. Je helemaal laten gaan bij een onbekende (of in je eentje of met een opblaaspop...) is veel gemakkelijker dan je helemaal laten gaan bij je eigen partner, door wie je zo graag gewaardeerd en gesteund wil worden. En die trouwens ook nog haar of zijn eigen wensen heeft.

Je afgewezen voelen door je partner kan je diep raken. Je overrompeld voelen door hem of haar ook. Je kunt bang zijn om hem of haar te overrompelen. Merken dat jij echt iets heel anders wilt dan hij of zij, terwijl je zo graag de harmonie wilt behouden. In seksualiteit kan dit allemaal gebeuren omdat je samen zo bloot bent. Een 'oplossing' kan zijn om dan maar tevreden te zijn met een lauw liefdesleven. Want vervulling vraagt ook confrontatie. Ieder op eigen benen authentiek tegenover elkaar staan en kijken wat er dan gebeurt.

> Een vrouw:
> 'Ik verlang ernaar om voor mijn vriendin een striptease te doen. Als ik hieraan toe zou geven en deze wens in praktijk zou brengen, verwacht ik dat ik erg in de stemming kom om te vrijen. Dat lijkt me heerlijk.'

Je wensen inzetten

Je echt aan elkaar bekennen, betekent jezelf in al je kwetsbaarheid aan de ander laten zien. Uitkomen voor het vuur dat er in je is. Je teerste verlangen aan elkaar prijsgeven. Daar is moed voor nodig. Gladjes kan het niet, want dan komt er geen vervulling. Hanneke Korteweg schrijft: 'Je wordt gelukkig als je je zo totaal uitdrukt dat er ten aanzien van je geliefde geen geheime verwachting meer in je bestaat.'

Als je je eigen wensen serieus neemt, komt het erop aan om de ander op een nieuwe manier te benaderen. Om initiatieven tot

intimiteit en vrijen te nemen, waarbij je de ander jouw wens laat
merken. Want je hoeft je wensen lang niet altijd uit te spreken.
De ander verrassen en proberen mee te nemen werkt soms veel
beter.

> Een vrouw:
> 'Ik raak niet zo gemakkelijk opgewonden en dat weerhoudt mij er
> meestal van om initiatief tot vrijen te nemen. Maar laatst hoorde
> ik 's avonds heerlijke muziek uit de radio, en nodigde ik mijn man
> uit om in de huiskamer even met me te schuifelen. We genoten
> enorm en ik merkte dat ik lichamelijk langzamerhand meer open
> voor hem begon te staan.'

Soms is het wel aan de orde om je verlangens expliciet te
verwoorden Daarbij is echt kunnen vragen een grote kunst. De
ander vragen wat jij graag wilt en ervoor openstaan dat de ander
daarin wel of niet mee gaat. Als je zelf als eerste die stap durft te
zetten, dan kan de intimiteit tussen jullie enorm toenemen.
Durven vragen, jezelf laten zien, en nog niet weten hoe de ander
daar op zal reageren – dat is een grote stap in het ongewisse. Een
sprong in het diepe.

> Een vrouw:
> 'Lieve man, jij kunt het je misschien niet voorstellen, maar ik zou
> het zo fijn vinden als je veel meer mijn "gewone" lichaamsdelen
> aanraakt. Je zou eens moeten weten hoeveel ik bijvoorbeeld in
> mijn bovenarmen voel, wanneer je me daar streelt.'

Wat kan er een boel misgaan in de toon waarmee je vraagt!
Soms vraag je met een toon waarin je laat merken dat je vindt
dat je er recht op hebt. Of je vraagt op een manier van 'Je zult
het toch wel niet willen...'
Het gaat erom dat je voor je wens gaat staan, terwijl je niet
dwingend bent. En ook niet verwijtend of zielig. Gewoon rustig
en opgewekt, of bibberend omdat je het eng vindt, terwijl je toch
ronduit voor je wens uitkomt. En het is goed om innerlijk te
accepteren dat er ook een 'nee' op je wens kan komen. Als je echt

durft te vragen en jezelf in je wens helemaal laat zien, dan zul je in het beste geval de ander wekken met jouw wens.

> Een man:
> 'Lieve vrouw, ik zou zo graag willen dat je wat meer aandacht aan mijn piemel besteedt. Dat je daarmee vertrouwd wordt. Dat je die af en toe aanraakt.'

Geen machtsspel

Elkaar echt om iets vragen, je diepste wensen laten zien, en daar in alle vrijheid op antwoorden – dat is gedoemd te mislukken wanneer jullie als partners niet als volwassen mensen op eigen benen tegenover elkaar staan. Met een bereidheid om met elkaar uit te wisselen en samen te werken en ieder het beste dat er in je is in de relatie in te zetten.

In iedere relatie zijn er daarnaast ook momenten waarop je elkaar in de greep houdt. Wanneer machtsmechanismen hun werk doen, openlijk of subtiel.

Er zijn allerlei vormen van macht, zowel in de boven- als in de onderpositie. Partners doen elkaar ook bewust, onbewust of halfbewust pijn. David Schnarch spreekt in zijn boek *Passionate Marriage* in dit kader van 'het normale sadisme tussen getrouwde stellen'. Dit van jezelf gaan zien en erkennen is de eerste stap om het los te laten.

Het gaat hier om een grote, fundamentele zaak. Soms ontdek je dan dat altijd op een bepaalde manier willen vrijen of niet op een initiatief van de ander willen ingaan ook een manier is om de macht in handen te houden. Of het niet willen prijsgeven van jouw wensen en verlangens – want in je wensen en verlangens ben je weerloos.

Nieuwe wendingen

Een paar voorbeelden van wensen:
Een man: 'Zou je eens boven op mij willen gaan liggen in plaats

van ik op jou?'

Een vrouw: 'Het lijkt me heerlijk om nu klaar te komen. Wil jij daar bij mij voor zorgen?'

Een man: 'Laat me eens een tijdje alleen maar naar je kijken en je aanraken, zonder dat jij ook maar iets doet...'

Een vrouw: 'Zullen we ons nog eens uitdossen en dan spelen we dat we elkaar nog niet kennen en in een bar tegenkomen?'

Zo je wensen inzetten vind ik een kortere weg naar je liefdesleven verdiepen dan alles van tevoren bespreken. Maar op andere momenten is het wel aan de orde om er met je geliefde eens goed voor te gaan zitten en een gesprek te houden over wat je ervan vindt.

Zo'n gesprek levert het meeste op, als je niet alleen praat over wat je niet fijn vindt. Het is mooi als je je onvrede kunt koppelen aan de vragen (liefst in de hoe-vorm) die jij over de situatie hebt, zodat de kans groter wordt dat jullie samen een nieuw antwoord vinden. Ook vruchtbaar is als je ook iets kunt noemen wat je fijn vindt tussen jullie of iets wat je graag zou willen. In al die ingrediënten voor een gesprek zet je dan naast je onvrede ook je verlangen naar de ander in, zodat je samen weer iets nieuws kunt creëren.

Kijk vervolgens ook eens of je een keer met je partner kunt 'ruilen' in een patroon van initiatief nemen en volgen. Een man daarover:

> 'Vaak wacht ik tot mijn vrouw het initiatief tot vrijen neemt. Want dan weet ik tenminste zeker dat ze wil. En meestal vrijen we in bed, 's avonds. Maar laatst waren we in het weekend samen alleen thuis. En het leek me zomaar op de zaterdagmiddag, met alle energie die bij overdag hoort, heerlijk om te gaan vrijen. Toen ben ik haar echt gaan verleiden, in de huiskamer. En gelukkig ging ze er in mee. We hebben heerlijk gevreeën, terwijl de zon de kamer in scheen.'

Als je degene bent die meestal de leiding in handen neemt, raak je in een onbekende situatie verzeild als jouw partner iets nieuws voorstelt. Om zo soepel te zijn dat je dat nieuwe leven in de brouwerij een kans geeft, zul je een andere kant van jezelf moeten aanboren, die je niet zo goed kent, de kant van meebewegen en de beweging overnemen. Het veranderen van je vertrouwde beweging kan je onzeker maken. Het is een kunst je daarin dan niet af te sluiten voor je partner. Met inbegrip van al je eigen reacties erin mee te gaan. Dan kunnen er mooie nieuwe dingen gebeuren.

De ander een plezier doen

Soms heeft jouw partner een wens die jou op het eerste gezicht niet zo aanspreekt. Je kunt dan twee dingen doen: nee zeggen en er niet in mee gaan, of je ervoor openstellen en het een keer uitproberen. Je kunt dat doen uit liefde, om de ander een plezier te doen. Dan kan het zijn dat jij er ook plezier in begint te krijgen en dat je beweging langzamerhand van binnenuit begint te komen. Of je merkt dat je er weinig plezier in krijgt, maar je probeert liefdevol aanwezig te blijven, met respect voor je eigen gevoelens en die van de ander. Het is mooi als degene die het initiatief nam jou dan ook met jouw gevoelens láát, en wel met je in contact blijft, zonder de eigen gevoelens in te houden. Het is mooi als degene die veel minder voelt de ander zijn/haar gevoelens dan wel gunt, zonder dat zij of hij zelf toneel gaat spelen.

Echt iets te geven hebben is een mooi spiritueel gegeven. Wanneer je uit liefde iets doet voor de ander om hem/haar een plezier te doen, dan is dat iets wat de ander in dankbaarheid ontvangen mag. Maar het is nooit een vanzelfsprekendheid. Een mens kan alleen maar in vrijheid de ander een plezier doen wanneer haar of zijn 'nee' er ook mag zijn; en wanneer aan de andere kant haar of zijn eigen wensen even belangrijk zijn. Ik heb het over partners die gelijkwaardig naast en tegenover elkaar staan. Zodat hun samenspel in de liefde authentiek door hun samen gecreëerd kan worden. Seksuele en intieme interesse in elkaar vaart daar trouwens wel bij! Op het basale niveau van wel of niet gaan vrijen zijn tegengestelde wensen van partners aan de orde van de dag. Het is eerder uitzondering dan regel dat twee geliefden op precies hetzelfde moment zin hebben in vrijen.

Ook hier kan de partner die geen zin heeft bekijken of hij of zij toch gehoor wil geven aan het initiatief van de ander. Maar ook hier geldt dat hoe duidelijker daarnaast het 'nee' gerespecteerd wordt, hoe meer de ander de ruimte zal voelen om in vrijheid af en toe toch 'ja' te zeggen en te kijken of zij of hij in de stemming kan komen.

Het orgasme

Dan komen we opnieuw bij de vraag: waarvóór dan in de stemming komen? Om liefdevol lichamelijk dichtbij elkaar te zijn? Of vooral om klaar te komen?

Begrijp me goed: een orgasme is een fantastische ervaring. Daar schaamteloos van genieten is een grote vreugde. Voor wie nooit klaar kon komen is het een grote zegen dat eindelijk mee te maken. Veel vrouwen bij wie dit niet zo gemakkelijk gaat, zijn er heel blij mee dat bijvoorbeeld een vibrator hen kan helpen om net even over die grens te gaan.

Maar wat kan het orgasme een energetische intieme uitwisseling toch ook in de weg zitten. Soms komt iemand klaar voordat hij er erg in heeft en is hij daarna alle puf tot vrijen kwijt. Soms wordt iemand wel opgewonden, maar kost het veel moeite ook een orgasme te bereiken. Soms heeft iemand al geen zin om te vrijen omdat hij het gevoel heeft dat de ander hem alleen wil gebruiken om klaar te komen. Soms voelt iemand zich eenzaam als de ander zo in het orgasme opgaat dat zij of hij vergeten lijkt. Soms heeft iemand het gevoel dat hij van de ander zelf ook klaar 'moet' komen. Veel mensen denken dat het normaal is om bij iedere vrijpartij snel opgewonden te worden en denken dat ze falen als dat niet gebeurt. Of zij denken dat hun partner hen niet meer aantrekkelijk vindt, wanneer dat met de ander niet gebeurt.

Orgasmedwang kan een speels, fris samenspel danig in de weg zitten. Veel mensen zouden vrijen aantrekkelijker vinden als het primair een uitwisseling van liefkozingen zou zijn.

> Een vrouw:
> 'Vaak ga ik mijn man lichamelijk helemaal uit de weg, omdat ik bang ben dat iedere aanraking bij hem tot zin in vrijen leidt. Terwijl ik vaak wel wat zou willen kussen en knuffelen, maar niet bij voorbaat zin heb in meer.'

Het is mooi als elkaar aanraken niet hoeft te betekenen dat dat per se gaat leiden tot vrijen, 'met alles erop en eraan'. Als mensen zich tot niets verplicht voelen in een intieme en seksuele ontmoeting.

Als de ander opgewonden wordt, betekent dat dan niet dat dat ook per se met jou moet gebeuren, maar er is ook niets tegen dat het met de ander wel gebeurt. Want wanneer de ander klaar wil komen, betekent dat dan ook niet per se dat jij je lichaam daarvoor moet lenen of dat jij verantwoordelijk bent voor zijn orgasme. Als jij daar wel in mee wilt gaan: prachtig. Als je zelf ook helemaal de smaak te pakken krijgt: uitstekend. Als je zelf niet zo opgewonden bent, maar de ander wel liefdevol een handje wilt helpen: prima. Maar de ander kan ook in jouw bijzijn met zichzelf vrijen om klaar te komen. Of niet in jouw bijzijn. Hij of zij kan liefdevol voor zichzelf zijn, zonder dat de liefde tussen jullie onderbroken hoeft te worden. Zij of hij heeft ook nog de keuze om net als jij niet klaar te komen en het bij liefkozen alleen te laten.

Tantra

Tantra heeft een vorm van vrijen gebracht die hier nog een flinke stap verder in gaat. Er zijn recent veel boeken over geschreven en op allerlei plekken in Nederland kun je er cursussen in volgen. De opvattingen over tantra en seksualiteit zijn veelvormig, maar in essentie gaat het om het volgende: begeerte moet het liefdesspel niet in de weg zitten. Beide partners zijn aanwezig met hun verlangen, of dat nu klein of groot is, en zij zijn bij elkaar om liefdesenergie met elkaar uit te wisselen. Daarbij is genieten van je verlangen sec een belangrijk uitgangspunt. Dát je verlangt, laat je helemaal toe. Een verlangen is niet iets waarin je bevredigd móet worden, want het verlangen heeft een waarde in zichzelf. Je kunt ervoor kiezen om je verlangen wel of niet op een gegeven moment te (laten) bevredigen, maar veel belangrijker is om het verlangen dat in je leeft helemaal te omarmen en erin te ontspannen. Om verlangend bij elkaar te zijn en om dan met elkaar te vrijen op een manier waarop er echt helemaal niets hoeft. Partners zijn daarbij van top tot teen met elkaar in contact en het vrijen ontstaat vanzelf. Alle tijd ervoor nemen en stil met elkaar in contact zijn zonder iets te doen, is er een belangrijk onderdeel van. Iedere reactie van beiden mag er zijn. Dat hoeft helemaal geen opwinding te zijn, maar het mag uiteraard wel. Het hartscontact staat op de eerste plaats; in principe ga je steeds door met je liefdesuitwisseling en kom je niet klaar. Als dat een keertje wel gebeurt, is dat ook geen ramp.

Deze manier van vrijen kan teweegbrengen dat je op een totaal nieuwe manier seksueel in liefde open gaat. Je voelt je enorm verbonden met elkaar, waarbij ongekende lichaamssensaties en extase je ten deel kunnen vallen en de nawerking van het vrijen uren kan duren.

Jan den Boer zegt hierover: 'Deze manier van vrijen lost het probleem van verschil in verlangen op. Want als er niets hoeft in het vrijen, dan hoeft het je ook niet tegen te staan.' Vooral voor mannen is het niet zo eenvoudig om te leren wel te verlangen maar niet klaar te komen, maar ook voor mensen die zichzelf als erg seksueel behoeftig zien, is dat goed te leren en er gaat dan een nieuwe wereld open.

Wegen naar verdieping

Zo kun je je liefdesleven op talloze manieren verdiepen. Je kunt steeds nieuwe ingangen zoeken om elkaar seksueel te vinden Afspraken kunnen daarbij behulpzaam zijn.

Een man:
'Mijn vrouw en ik houden veel van elkaar en we hebben samen een heerlijk thuis. Maar op een of andere manier is ons contact altijd meer geestelijk dan lichamelijk geweest. Er komt bij ons heel wat bij kijken voordat we samen in de stemming komen om te vrijen. Een tijd lang deden we dat ook weinig, maar we misten de lichamelijke connectie. Nu hebben we afgesproken elkaar regelmatig uitgebreid te masseren. Of dat dan ook uitloopt in vrijen zien we wel. En al vaak is dat vervolgens gebeurd. We zijn heel blij dat we deze nieuwe ingang gevonden hebben.'

Andere afspraken die je kunt maken zijn bijvoorbeeld het voornemen om één keer per week uitgebreid te knuffelen en ook één keer per week samen te komen om te vrijen. Een andere mogelijkheid is om helemaal niet te praten bij het vrijen. Of een speeltje erbij of een blinddoek om. Af en toe stoppen met vrijen en een paar minuten alleen maar stil bij elkaar liggen. Kijken wat dat teweeg brengt.
De mogelijkheden zijn eindeloos. Als je je maar niet verplicht voelt om daar iets bij te móeten voelen.
Je kunt ook afspreken dat jullie ieder af en toe op een nieuwe manier initiatief nemen of dat een tijdlang alleen een van de twee dat doet. Of een wat langere periode niet je gebruikelijke manier van vrijen toepassen (bijvoorbeeld geslachtsgemeenschap), maar openstaan voor allerlei andere vormen.
Een bijzondere ervaring is het wanneer een van de twee de ruimte krijgt om in een seksuele ontmoeting onbeperkt te mogen aangeven waar zij of hij op dat moment naar verlangt, terwijl de ander het haar of hem vol toewijding zo veel mogelijk naar de zin maakt.

Eugéne Jacobs schrijft hierover in zijn boekje *Spiritualiteit werkt bij het ouder worden* en noemt het daar het yin-yangspel. Vanzelfsprekend krijgt de andere partner dan een andere keer diezelfde ruimte. En naast de kunst van het geven wordt dan uiteraard de kunst van het ontvangen extra belangrijk.

Positieve spiraal

Een andere fundamentele weg ter verdieping van je liefdesleven is juist om geen enkele afspraak te maken, maar wel te kijken of je je beiden in contact maximaal kunt inzetten, met alles wat je in je hebt. Niets achter te houden. Volkomen zonder enig scenario te zijn. Waarbij het dus totaal onverwacht is wat er in het vrijen gaat gebeuren. 'Gewoon' met elkaar in contact treden, openstaan voor wat er in jou en de ander leeft, de impulsen volgen, je samen mee laten voeren, daarin jezelf niet verliezen en in alle vrijheid het spel mee vormgeven, zonder enig vooropgezet idee. In de verste verte is er geen plan wat er in het vrijen hoort te gebeuren. Het is af en toe wel goed om 'stop' te zeggen tijdens het vrijen – bijvoorbeeld als je er niet meer met huid en haar en hart bij betrokken bent, en dat wel opnieuw weer wilt. Daarna ga je samen weer verder...

Op welke manier je elkaar ook vindt in intimiteit en seksualiteit, zodra je samen (weer) een positieve ervaring opdoet, wordt de kans groter dat dat daarna weer zal gebeuren. Een positieve ervaring kweekt de volgende positieve ervaring, waarbij het gaat om jullie eigen positieve ervaringen, die bij júllie als paar aansluiten, zodat jullie elkaar in het liefdesspel wezenlijk ontmoeten. Ieder stel heeft zijn eigen unieke wegen om zijn liefdesleven te verdiepen! Als je er maar naar op zoek durft te gaan.

Tips

Experimenteren met leiden en volgen kun je bij uitstek doen op de dansvloer. Als je bijvoorbeeld samen tangoles neemt, kies je wie leert leiden en wie volgen. Als je je positie gekozen hebt, ervaar dan eens in de diepte hoe je die energie maximaal kunt belichamen. Draai het ook eens om: bekijk hoe de andere positie jou bevalt. Wellicht kom je dan weer heel nieuwe dingen tegen. En natuurlijk biedt vrij tegenover elkaar dansen bij uitstek de mogelijkheid om samen in leiden en volgen te variëren.

Zet eens muziek op die jullie allebei lekker vinden om op te dansen. Ga bij elkaar in de buurt staan, voel je voeten op de grond en houd je ogen dicht. Kijk eens of je op de muziek kunt bewegen zonder dat je iets forceert. Je laat alleen maar bewegingen in je opkomen die vanzelf komen. Komt er weinig of niets, dan is dat zo. Blijf de muziek beleven.
Doe dan je ogen open, zonder het contact met je eigen bewegingen te verliezen. Kijk een tijd naar elkaar terwijl je je eigen beweging volgt en kijk daarna eens of jullie zonder je eigen beweging te verliezen een beetje op elkaar kunnen ingaan.

Als (heel traditioneel) de man seksueel opgewonden is en de vrouw behoefte heeft aan liefdevolle intimiteit en een gesprek, kun je naakt bij elkaar gaan liggen. De man legt zijn hand op het hart van de vrouw en erkent daarmee haar verlangen. De vrouw legt haar hand op het geslacht van de man en erkent zijn verlangen. Beiden doen verder niets, maar ontspannen in het contact en genieten van hun verlangen. Vervolgens kijk je nieuwsgierig wat er gaat gebeuren. Misschien val je in slaap en word je wat later allebei opgewonden wakker. Misschien ontstaat er een zachte beweging en wat later weer een

*gesprek. Het belangrijkste is dat je niets forceert en alles heel
traag en langzaam doet.
(Uit: Jan den Boer,* Het is tijd voor een liefdesrevolutie*).*

*Kijk eens, als je met elkaar vrijt, of je steeds kunt wachten tot er
een nieuwe impuls komt. Een poosje doen jullie dit, maar
daarna vallen jullie stil. Je ontspant dan in het bij elkaar zijn.
Dan komt er een impuls voor iets en dat doen jullie een tijdje.
Daarna wachten jullie weer en zijn ontspannen met elkaar in
contact. Tot er van binnenuit weer een impuls komt. Je 'maakt'
niets. Je wacht steeds tot het volgende zich aandient en stopt
daar na een tijdje ook weer mee.*

Boekentips

Jan den Boer, *Tantra, het verlangen naar verbinding*, Synthese.

Hanneke Korteweg-Frankhuizen, *Een vrouwelijke weg van
bevrijding*, Felix.

Stefan en Mieke Wik, *Taoïstische tantra*, Altamira Becht.

7

Overgave

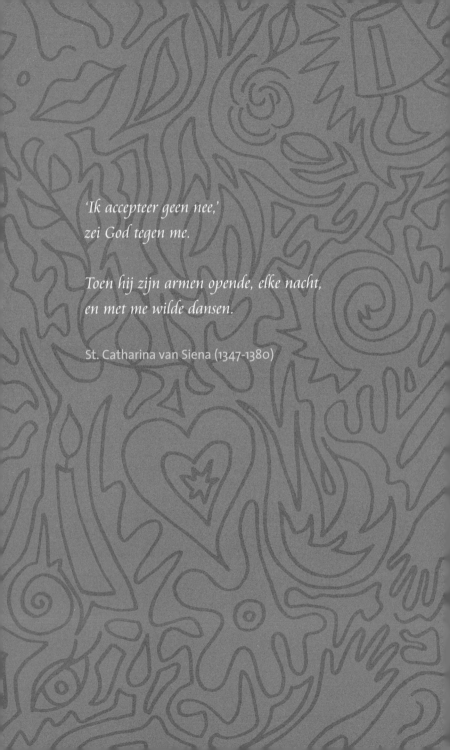

'Ik accepteer geen nee,'
zei God tegen me.

Toen hij zijn armen opende, elke nacht,
en met me wilde dansen.

St. Catharina van Siena (1347-1380)

Een spirituele levenshouding helpt je om meer vervulling in het leven te ervaren en kan je dus ook helpen om de seksualiteit met je geliefde te verdiepen. Je kunt daar veel voor doen en veel voor laten, nieuwe ervaringen opdoen en nieuwe ingangen vinden. In de vorige hoofdstukken zijn daar veel suggesties voor gegeven. Maar uiteindelijk gaat het bij vervulling, en dus ook in de seksualiteit, niet om iets doen, iemand worden of ergens naartoe gaan. Hans Korteweg zegt daarover in *Sta op en ga*:

> 'Alles hier op aarde staat klaar om in liefde te worden aangewend. Daar hoeft niets extra's voor te gebeuren. Alles is er al. Dat is toch verbazingwekkend?'

Het gaat bij vervulling om te rusten in je bestaansgrond. Ontvankelijk te zijn. Te aanvaarden wat er is. Je te openen voor contact. Te zien dat je door rijkdom omgeven bent en dat het leven te vertrouwen is. Toe te laten dat je vol leven bent, net als de ander. Als je je niet verzet tegen dat leven, maar je weerstanden durft los te laten, ga je dat leven in je ervaren. En dat is overgave. Leven in overgave vraagt een radicale houding. Je kunt het oefenen. Seksualiteit beleven in overgave kun je ook oefenen. Dan ervaar je momenten dat je er helemaal in zit, dat je helemaal in je element bent. Het lijkt vanzelf te gaan en samen word je in beweging gebracht. Samen word je bewogen, in plaats van de bewegingen met zijn tweeën te maken. Als je zo samen opgetild wordt, is dat een intense ervaring.

Het is menselijk dat die momenten ook weer ophouden. Een tijdje zit je er helemaal in, dan raak je er weer uit, en wie weet raak je er daarna wel weer in. Ook als je niet bewust oefent in overgave, kan die je met een beetje geluk in de seksualiteit toch ten deel vallen, af en toe. Dan valt overgave je 'gratis' toe. Daar mag je dan blij mee zijn, want overgave is dat waarnaar mensen meestal zoeken, wanneer ze hun liefdesleven willen verdiepen.

Een man:
'Ik ben volkomen vervuld bij het vrijen als de stroom rustig en
sappig op gang komt. Rustig en helemaal met elkaar. Als er alle
tijd is. Geen lijstjes in mijn hoofd, geen moeheid, geen routine van
hoe het vrijen zal zijn. Als we helemaal geil worden, elkaars
geslacht lang aanraken. Diepe vervulling als de ander mij helemaal wil, mijn seksualiteit helemaal wil. En ik haar. Als de stroom
rustig en helemaal vochtig op gang komt, van top tot teen. En ik
haar helemaal voel, helemaal zie, helemaal raak. Als we niet snel
gaan neuken, maar pas als het niet anders kan. En als we bewegen
en stil liggen als dat gebeurt. Als het zoet is en stromend, hard en
zacht door elkaar heen. Een andere wereld is het dan. Zonder
grenzen en heel fysiek. Maar ook ver daarachter. Met stilte
daarna, samengevloeid. Dan ben ik volkomen vervuld bij het vrijen
met mijn geliefde.'

Zo intens aanwezig zijn, voelt vaak als in een andere wereld zijn.
Maar eigenlijk gaat het om 'gewoon' volkomen aanwezig zijn in
déze wereld: zonder ergens naar te streven, helemaal open te
staan voor alles dat er op dat moment te ervaren valt. Want het
kán, om af en toe helemaal vervuld te zijn in het vrijen. Het hoort
tot onze menselijke mogelijkheden. Een vrouw vertelt wat het
haar doet als ze dat meemaakt:

'Ik kan dan zo'n intense dankbaarheid ervaren, tijdens het vrijen of
daarna, na een orgasme, ook naar mijn man, maar meer nog naar
het leven zelf. Dat ons of mij dit gegeven is! Dat mijn lichaam me
zo tot vreugde dient en dat we op deze manier bij elkaar kunnen
zijn. Dan ben ik zo vervuld, zo intens blij en verbonden en vol
tederheid naar mijn man en ik houd dan ook zo van mezelf en de
wereld. Laatst nog... het liefst was ik naar beneden gelopen om in
het gras te gaan liggen, om dicht bij de grond te zijn, de aarde te
voelen.'

Zo'n ervaring kun je niet afdwingen. Het is iets om van te
genieten als je het mag meemaken. Je moet die intensiteit, dat
leven en die liefde ook maar durven toelaten. Verdieping van je
liefdesleven vraagt de moed om in onbekende gebieden te

treden. Er kunnen wonderen voor je in petto zijn – en dan bevindt je je niet meer op vertrouwd terrein.

> Een vrouw:
> ''s Ochtends zaten we in bad. Zonder verwachting, zonder patroon. Ik was nog nooit zo ontvankelijk geweest voor aanraking zonder verwachting. Hij reikte naar mijn borsten en streelde een borst. Er was niets anders dan hij, zijn ogen en een enorme tinteling in mijn hele lijf. Ik was een en al gewaar van dat gevoel. Er was geen onderscheid meer tussen zijn hand en mijn borst. Mijn hele lijf was één en al tinteling. Buiten hem, mij en dat gevoel was er helemaal niets meer. Al het andere viel weg. Pas een tijd later werd ik me weer het bad, het water, de badkamer en de geluiden buiten de badkamer gewaar. Alsof ik terugviel in de tijd.'

Durf je in zo'n veelomvattende ervaring te zijn? Durf je zo totaal in het nu te zijn zonder je ergens aan vast te houden, wanneer nu samenvalt met de eeuwigheid, de tijd stilstaat, jij alleen nog ervaring bent en je nergens meer naartoe wilt maar volkomen aanwezig bent in wat er gebeurt.

In verbinding

Als je zonder weerstand alleen maar ervaart, dan merk je soms dat er geen onderscheid is. Geen onderscheid tussen jou en de ander. Geen onderscheid tussen jou en het grote geheel. Afscheidingen smelten weg en je bent in verbinding.
David Schnarch beschrijft in *Passionate Marriage* dat naar de ander kijken en jezelf ook helemaal laten zien aan zo'n ervaring sterk kan bijdragen, bijvoorbeeld op het moment van een orgasme. Hij spreekt van een 'open ogen orgasme' als je met je aandacht maximaal bij jezelf en tegelijkertijd maximaal bij de ander kunt zijn.

Een man:
'Een heel bijzondere ervaring is dat wij naar elkaar kijken, contact hebben, in elkaars ziel kunnen kijken terwijl we allebei klaarkomen. Verbonden op alle niveaus blijven we sidderend liggen in elkaars armen. Het is tijdloos, we lijken wel één lichaam. Het is gek en tegelijkertijd vanzelfsprekend hoe vertrouwd haar lichaam voelt. Haar huid voelt geheel verbonden, iedere welving van haar lichaam past. Haar gedachten en gevoelens komen via mijn handen binnen. Haar kracht en kwetsbaarheid raken me diep. Woorden zijn niet nodig. Een vingertop op mijn rug bereikt direct mijn hart.'

Ook zonder orgasme kan een dergelijke ervaring je ten deel vallen, in de uitwisseling van liefdesenergie. Een man:

'Een hele tijd liggen we bij en in elkaar, terwijl we ons volkomen met elkaar verbonden voelen. De energie circuleert in onze lichamen en dit blijft voortduren. En ook de volgende dag nadat we gevreeën hebben, voel ik het nog stromen in mijn borst.'

Zonder scenario

Wanneer je geen afspraken hebt over wat er gaat gebeuren in het vrijen, kan het wonder zich voltrekken. Wanneer je geen plan hebt en je niets nastreeft, spring je samen in het diepe. Je kijkt wat jullie ten deel valt. Je bent in het vrijen aanwezig in het moment. Je ontspant erin. Er is alle ruimte in je voor wat er teweeg wordt gebracht. Je bent open voor elkaar zonder een scenario. Je ervaart en je bent er. Je weet niet waar je aan begonnen bent en waar je heen gaat. Je omarmt wat er gebeurt. Je hebt geen idee over of je wilt klaarkomen en hoe en hoeveel warmte je nodig hebt en welk standje je wilt uitproberen. Je staat open voor alles dat er op dit moment is tussen je partner en jou.

Welke impuls komt er dan zomaar in je op? Welk gebaar van de ander voert jou helemaal mee? Wat hoor je jezelf ineens in het oor van de ander fluisteren?

Hoe vind je het als jullie ineens helemaal stil vallen en alleen nog maar wachten? Ruiken en kijken en elkaars ademhaling horen? Zonder dat er ook maar in de verste verte iets moet. Jullie zijn er. Waarna er ineens weer iets gebeurt. Jullie bewegen. Jullie worden bewogen. Jullie maken geluid. Hoe is het voor je om dan van binnenuit je partner echt om iets te vragen? Of hem of haar ineens een groot plezier te gaan doen? Waarna je weer totaal de andere kant op meegevoerd wordt...

Hiermee is iedere ervaring iedere keer nieuw. Jij bent iedere keer nieuw. De ander is iedere keer nieuw. Het wordt nooit saai. Niets ligt vast. Jullie zijn iedere keer nieuw. Want jij en de ander bestaan niet meer:

'Zeg het me nog eenmaal mijn liefste
Zo helder:
Ik ben
Jou.'

Tukaram (1608-1649)

Boekentip

David Deida, *God en Eros*, Altamira-Becht.

Hans Korteweg, *Sta op en ga*, Felix.

Webtip

www.marjangroefsema.nl

Spiritualiteit werkt...

Een nieuwe serie vol concrete en uitvoerbare tips en adviezen om spiritueel met het dagelijks leven om te gaan.
In deze serie verschenen ook:

- Vincent Duindam, *Spiritualiteit werkt in relaties –*
  praktische tips om de liefde te verdiepen

- Lenette Schuijt, *Spiritualiteit werkt in je werk –*
  praktische tips om zinvol aan het werk te zijn

- Lisette Thooft, *Spiritualiteit werkt in de overgang –*
  praktische tips om de gelukkigste tijd van je leven in te gaan

- Eugène Jacobs, *Spiritualiteit werkt op rijpere leeftijd –*
  praktische tips voor gouden jaren in de derde fase

- John van der Rest, *Spiritualiteit werkt in de tuin –*
  praktische tips om je tuin te bezielen

- Nannet van der Ham, *Spiritualiteit werkt bij het afvallen –*
  praktische tips om vanbinnen en vanbuiten lichter te worden

- Hein Stufkens, *Spiritualiteit werkt in dromen –*
  een reisgids voor je leven

- Vincent Duindam, *Spiritualiteit werkt in de opvoeding –*
  praktische tips voor inspirerend ouderschap